« Amon a fondé tous les pays,
Il les a fondés,
Mais il a fondé avant tout autre le Pays d'Égypte,
D'où, justement, tu viens.
Et c'est d'Égypte qu'est sortie la perfection,
C'est d'Égypte qu'est sortie la sagesse
Pour atteindre notre propre Pays. »

Paroles adressées par Djekerbaâl, prince de Byblos
au « Commandant » Ounamon, l'envoyé du pharaon Smendès.

(Conte d'Ounamon, 2, 20)

LE FABULEUX HÉRITAGE
DE L'ÉGYPTE

Bibliographie sélective

L'ART ÉGYPTIEN AU MUSÉE DU LOUVRE, Éditions Floury, Paris, 1941.

LE STYLE ÉGYPTIEN, Larousse, 1946 (Plusieurs rééditions ; ouvrage couronné en 1947 par l'Académie des inscriptions et belles-lettres.)

LA RELIGION ÉGYPTIENNE (histoire générale des religions). Aristide Quillet, Paris, 1947.
(Réédité en 1960 ; ouvrage couronné par le prix de l'association France-Égypte).

LES SCULPTEURS CÉLÈBRES (les Égyptiens du Moyen et du Nouvel Empire), Éditions Mazenod, Paris, 1955.

LES FEMMES CÉLÈBRES, tome I (reines et impératrices ; grandes dames et femmes politiques),
Éditions Mazenod, Paris, 1960.

L'EXTRAORDINAIRE AVENTURE AMARNIENNE, Éditions des Deux-Mondes, Paris, 1960.

ÉGYPTE : art égyptien, Grand Larousse, 1961.

TEMPLES DE NUBIE : DES TRÉSORS MENACÉS, Art et Style, Paris, 1961.

L'ART ÉGYPTIEN (« Les neuf muses »), PUF, Paris, 1962. (Traduit en plusieurs langues, réédition prévue.)

PEINTURES DES TOMBEAUX ET DES TEMPLES, Unesco, Paris, 1962. (Édité en plusieurs langues.)

TOUTANKHAMON, VIE ET MORT D'UN PHARAON, Rainbird, Hachette, 1963. Pygmalion, 1977.
(Prix Broquette-Gonin d'histoire de l'Académie française, édité en seize langues.)

TOUTANKHAMON ET SON TEMPS (catalogue de l'exposition au Petit-Palais), Association d'action artistique
des Affaires étrangères, Paris, 1967. (Plusieurs éditions.)

LE PETIT TEMPLE D'ABOU SIMBEL (en collaboration avec Ch. Kuentz), CEDAE, Le Caire, 1968, 2 volumes.

LE SPEOS D'EL LESSIYA, EN NUBIE, tomes I et II, CEDAE, Le Caire, 1968.

LE MONDE SAUVE ABOU SIMBEL (étude archéologique des deux temples). Éditions Kosku, Vienne, Berlin, 1968.
(Édité en trois langues.)

RAMSÈS LE GRAND (catalogue de l'exposition au Grand-Palais) ; ministère des Affaires étrangères
et des Affaires culturelles, 1976. (Plusieurs éditions.)

LE DÉPARTEMENT DES ANTIQUITÉS ÉGYPTIENNES, LA CRYPTE DE L'OSIRIS, Miniguides du musée du Louvre.
Éditions de la Réunion des musées nationaux, Paris.

L'UNIVERS DES FORMES, NRF, Paris. (Traduit en plusieurs langues.)
    Le Temps des pyramides (Les arts de transformation), volume I, 1978.
    L'Empire des conquérants (Les arts de transformation), volume II, 1979.
    L'Égypte du crépuscule (Les arts de transformation), volume III, 1980.

UN SIÈCLE DE FOUILLES FRANÇAISES EN ÉGYPTE (exposition au palais de Tokyo), Ifao et Réunion des musées
nationaux. Imprimerie nationale, 1981.

LA GRAMMAIRE DES FORMES ET DES STYLES (Antiquités : Égypte). Bibliothèque des Arts, Paris ;
Office du Livre, Fribourg, 1981.

LA MOMIE DE RAMSÈS II (contributions égyptologiques ; histoire du roi – bilan des découvertes),
Éditions Recherches sur les civilisations, Paris, 1985.

LA FEMME AU TEMPS DES PHARAONS, Éditions Stock, 1986, Paris (Prix Diane-Potier Boes, de l'Académie française).

LA GRANDE NUBIADE, Éditions Stock, Paris, 1992.
(Prix Saint-Simon, Prix de l'Académie française, Médaille de Vermeil)

L'ÉGYPTE VUE DU CIEL, Éditions La Martinière.

AMOURS ET FUREURS DE LA LOINTAINE, (Clés pour la compréhension de symboles égyptiens)
Stock/Pernoud, Paris, 1995.

RAMSÈS II, LA VÉRITABLE HISTOIRE, Éditions Pygmalion Gérard Watelet, Paris, 1996.

LE SECRET DES TEMPLES DE NUBIE, Éditions Stock, Paris, 1999.

LA REINE MYSTÉRIEUSE HATSHEPSOUT, Éditions Pygmalion Gérard Watelet, Paris, 2002.

LORSQUE LA NATURE PARLAIT AUX ÉGYPTIENS, Philippe Rey, Paris, 2003.

Cette bibliographie concerne uniquement les ouvrages se rapportant à des sujets d'ensemble
et s'inscrit indépendamment des nombreux articles, recherches scientifiques et rapports
de fouilles parus dans les diverses revues et collections spécialisées en égyptologie.

Christiane Desroches Noblecourt

Conservateur général honoraire
Département des Antiquités Égyptiennes du musée du Louvre
Grand Officier de l'Ordre de la Légion d'honneur

LE FABULEUX HÉRITAGE DE L'ÉGYPTE

Éditions SW – Télémaque

Paris

Chronologie

Époque protohistorique
Période nagadienne vers 4000-3100
Narmèr

Époque thinite
Ire dynastie (Roi serpent) vers 3100-2900
IIe dynastie vers 2900-2700

Ancien empire
IIIe dynastie (Djéser) vers 2700-2620
IVe dynastie (Snéfrou, Khéops, Khéphren, Mycerinus) vers 2620-2500
V^e dynastie (Sahourê, Né-ouser-Rê) vers 2500-2350
VIe dynastie dynastie (Pépi) vers 2350-2200

Première période intermédiaire
VIIe – début la XIe dynastie vers 2200-2060

Moyen empire
XIe dynastie vers 2060-2010
XIIe dynastie (Sésostris, Aménemhat) vers 2010-1786

Deuxième période intermédiaire
XIIIe – XVIIe dynasties vers 1786-1555

Nouvel empire
XVIIIe dynastie (Aménophis, Thoutmosis, Hatchepsout,
Akhénaton, Toutânkhamon, Aÿ, Horemheb) vers 1555-1305
XIXe dynastie (Ramsès, Séthi) vers 1305-1196
XXe dynastie (Ramsès III à XI) vers 1196-1080

Troisième période
XXIe dynastie (Héry – Hor) vers 1080-946
XXIIe dynastie (Osorkon) vers 946-720
XXIIIe – XXIVe dynasties vers 792-712
XXVe dynastie (Taharqua, Chabaka) vers 745-655

Basse époque
XXVIe dynastie (Psammétique II) vers 664-525
XXVIIe – XXXe dynasties vers 525-342
Deuxième domination perse vers 342-332

Époque ptolémaïque 332-30 av. J.-C.

Époque romaine 30 av. J.-C. – 337 ap. J.-C.

Époque copte 337-641

Époque arabe 641

Sommaire

Avant-propos

Étude d'artiste (ostracon) illustrant la «Fable du loup et du chevreau», que La Fontaine tenait d'Esope, lequel l'avait puisé dans les fables égyptiennes. Le grand loup joue du double hautbois pour tenir captif le petit capricorne. Époque ramesside XIXᵉ dynastie

Mon propos, en écrivant ce livre, est d'introduire mes lecteurs, sans leur infliger de savantes explications, ni les fatiguer par un verbe pompeux, à la découverte des thèmes fondamentaux sur lesquels notre propre civilisation s'est construite.

L'Égypte ancienne leur apparaîtra alors comme une pionnière en raison des connaissances, de la sagesse et de l'humanisme qu'elle nous a transmis. Elle demeure la grande inspiratrice pour ceux qui désirent retrouver leurs racines.

Tout au long de mon existence d'égyptologue, j'ai été frappée, comme beaucoup de mes collègues, par l'extrême importance de la place que nulle part ailleurs, sauf en Égypte ancienne, les animaux occupaient dans la grammaire des symboles. Ensuite, pour la majorité des cas, l'imagerie de ces mêmes animaux se retrouve à notre époque, employée pour exprimer une signification très peu éloignée de son sens originel.

Les scribes et dessinateurs les utilisaient pour éterniser fables et légendes et le lointain démiurge n'avait pas hésité à sélectionner un nombre assez considérable de ces créatures pour traduire, bien souvent, la variété de ses interventions.

Loin de penser que certaines formes humaines à tête d'ibis, de scarabée, de bélier, de vache, ou encore d'homme, étaient les images de divinités, limitées chacune à leur seul domaine, les clercs savaient que ces figurations évoquaient l'infinité des expressions du divin.

Partant du visible pour exprimer l'imaginaire, tablant sur le modèle tangible afin d'exprimer un message suggéré, c'était utiliser la traduction la plus claire lorsqu'il s'agissait d'aborder l'inconnu de l'au-delà vers lequel l'Égyptien aspirait. Pour ce faire, il convenait d'en forger les moyens d'accès.

Parfois transformé dans cette mémoire millénaire et collective, on retrouve le sujet fidèlement rapporté par un Ésope et même repris plus tard sous la plume d'un La Fontaine, sans perdre pour autant le sens profond de sa signification. Ainsi, l'image de la petite chienne évoqua-t-elle, dès la préhistoire, l'étoile Sothis (Sirius) maîtresse de l'année solaire : de nos jours, elle continue à donner, dans le ciel, son nom à la « constellation du (Grand) Chien ».

Chats et souris
Fragment de papyrus satirique évoquant la « Fable du peuple : chats au service de la reine souris ».
Époque ramesside
XIXe dynastie

Le lion et la licorne.
La licorne, d'origine syrienne, évoque, en Égypte au Nouvel Empire, une favorite royale. Ici, cette « princesse » joue au senet avec le symbole animal du roi. Il est étonnant de retrouver ces deux animaux, vis-à-vis, figurés de nos jours dans les armes du royaume d'Angleterre.
Papyrus satirique
XIXe dynastie

**La tilapia nilotica,
ou dorade du Nil.**
Ce petit poisson
aux nageoires rosées était
appelé *inet* par les anciens
Egyptiens et, de nos jours,
boulti. Il était considéré,
jadis, comme véhiculant
l'âme d'un défunt
se préparant à renaître.
Dalle de terre cuite
vernissée, provenant
du palais de Ramsès II,
à l'est du delta du Nil.
Musée du Caire

Par ailleurs, pendant des millénaires, la scène rituelle de la « capture » du poisson *Inet* (tilapia nilotica) animait le décor des chapelles funéraires et permettait aux défunts de reprendre possession de leur âme. Or, dès les premiers temps du Christianisme, on retrouve en Égypte sur les murs des calludes monacales, la présence de cette âme sous l'aspect du poisson *Ichthus*, symbole de Jésus renaissant et victorieux.

Parfois, les images groupées de ces animaux illustrent le sujet essentiel d'un mythe. Ainsi, à la vision d'un petit cercopithèque accroupi, paraissant converser avec une lionne, toutes mamelles pendantes, le dessinateur désirait évoquer le moment essentiel du très populaire « mythe de la Déesse Lointaine ». Je le résume : le Démiurge vivait heureux dans son palais, et sa fille aussi belle que généreuse distribuait à tous la joie de vivre. Mais cette existence dorée lassait la pétillante princesse, qui un jour s'enfuit vers le grand sud. Le désespoir alors s'installa dans le palais et tout le pays. En dépit des nombreux messages du puissant souverain adressés à sa fille bien-aimée, cette dernière, ivre de liberté, refusait de revenir au bercail alors que le bonheur, la joie de vivre avaient fui l'Égypte entière. Enfin, le dernier émissaire du

roi, le singe de Thot, esprit divin par excellence, finit grâce à son habileté bien connue, par convaincre l'infidèle, en lui contant mille fables attrayantes tout en l'entraînant jusqu'à la frontière de l'Égypte, où elle fut apaisée par les eaux de la première cataracte du Nil.

Pour l'Égyptien de jadis, la seule image du cercopithèque en conversation avec une lionne, suffisait à l'évocation de toute l'histoire d'où le mythe était tiré.

Une allusion d'un tout autre type résume, d'une façon encore plus concise, la même histoire, à savoir : le retour de la Crue du fleuve, donc aussi l'apparition du Jour de l'An. Il suffit de considérer au milieu de la liste des mois de l'année, les deux signes mitoyens occupant le centre, c'est-à-dire le Cancer (lire : le Scarabée) et le Lion (ou la lionne). Le Scarabée est l'évocation de l'instant où le soleil apparaît à l'aube, à la fin de « la dernière heure de la nuit »,

Évocation du «Mythe de la Déesse Lointaine».
La princesse, ivre de liberté et transformée en lionne solaire, montre sa fureur en battant de la queue. On peut comprendre, par ses mamelles pendantes, qu'elle a mis bas des petits lionceaux. Le vautour de la déesse Nekhabit (du Sud), situe le lieu où se déroule la scène. Le petit cercopithèque, face à la lionne, s'efforce de la ramener au bercail. Dans la fable, la lionne représente la crue du Nil, et le singe le dieu Thot, gouvernant le calendrier, qui tente d'éviter un retard de l'Inondation
Bas-relief du temple de Dakké (Nubie)
Basse Époque

lorsque ce coléoptère pousse sa « boule », évoquant ainsi l'astre diurne. Il est suivi du signe du Lion (ou lionne) qui se manifeste alors, évoquant l'incroyable force et richesse des eaux bouillonnantes de la nouvelle crue qui va fertiliser l'Égypte pendant quatre mois (saison *Perat*) et ramener dans le pays la joie et la richesse.

Le panorama de ces symboles animaux qui nous sont parvenus est naturellement loin de constituer le seul héritage du pays des Pharaons. Cet héritage se manifeste dans une infinité de domaines, et même des plus essentiels au regard de notre civilisation : ainsi l'établissement du calendrier solaire, ou l'origine des signes de notre écriture. Mais il faut encore citer parmi bien d'autres sujets la sagesse, la médecine, les motifs architecturaux, de nombreuses coutumes, la chimie, l'influence sur les Hébreux et naturellement le phénomène religieux.

L'Égypte, plus encore que ses voisins, s'évertuait à pratiquer la multiplicité des approches, autrement dit à utiliser diverses images pour exprimer les mêmes thèmes, les mêmes notions. Le mythe osirien en est une des plus illustres applications. Il s'agit de la perpétuelle lutte du dieu bienfaisant contre le malin, la mise à mort du dieu et l'espoir en la renaissance du dieu martyr.

On se souviendra que le plus important des cinq principes divins qui furent mis au monde par la Voûte céleste (*Nout*) était le premier-né, Osiris, qui devint le protecteur et le bienfaiteur du pays. Son frère cadet, Seth, représentant avant tout la perturbation (mais une perturbation nécessaire !), nourri d'une permanente jalousie envers son aîné, tenta de l'assassiner à deux reprises ; en définitive, l'ayant découpé en seize morceaux (quatorze morceaux rapporte parfois la légende), il jeta ces derniers dans le Nil.

Première représentation graphique du calendrier solaire
Les douze mois de trente jours sont figurés, chacun par leur premier jour respectif de vingt-quatre heures. Les cinq jours un quart sont imaginés entre le bloc de quatre mois, à gauche, et celui des autres huit mois. Le dessin se lit de droite à gauche et de haut en bas. D'abord, les quatre mois en rouge de « l'Inondation » puis, un espace réservé aux jours épagomènes (5 1/4). Les mois « Hiver-Printemps » en vert et pour terminer les quatre mois de la « Chaleur » en jaune solaire. Pour une meilleure compréhension, les signes tardifs du zodiaque ont été évoqués au regard de chaque mois.
Tombe de Senenmout

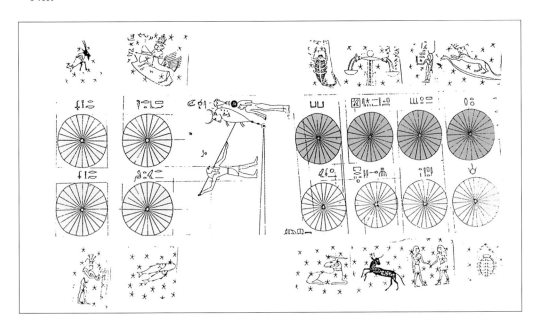

Osiris. Le dieu bienfaisant Osiris qui règne sur le monde des morts, apparaît, sous son dais royal au quadruple chapiteau floral, dans toute sa majesté. Debout, et le corps encore entouré d'un linceul, la momie prête à la résurrection est dotée du visage teinté du vert de la renaissance.
Tombe thébaine de Sennedjem Deir el-Médina – XIXe dynastie

Cependant, Isis, sœur épouse du dieu bienfaisant, veillait ; transformée en oiselle, elle repêcha les morceaux du corps de son époux et en fit la première momie. Désormais Osiris régna sur les morts dans l'au-delà, après les avoir fait passer en jugement. Il devint leur maître, protecteur et modèle. Chaque année, les humains savaient qu'il s'affirmait avec l'Inondation. Ainsi pour demeurer dans son sillage, les défunts se manifestaient également dans la crue et participaient à la croissance du pays.

La religion osirienne était née. Cependant la descendance d'Osiris sur terre n'avait pas été assurée. Aussi, par sa légendaire magie, Isis réanima quelques instants la momie de son époux, et put grâce à ce miracle mettre au monde un fils, Horus, sur le trône terrestre de son père.

Parmi ce survol de sujets divers empruntés à des domaines bien différents et nécessaires pour alerter la curiosité du lecteur, il se présente tant de coïncidences qu'il est impossible de ne pas leur reconnaître des origines communes indéniables. Les points communs qui relient ces chapitres seront, je l'espère, très accessibles et paraîtront même assez surprenants en raison de leur contexte inattendu et de surcroît souvent émouvant au rappel d'une pensée, et de rites, ayant pu inspirer l'expression de l'ère chrétienne.

Seth incarne la perturbation.
Il est un des cinq enfants mis au monde par la voûte céleste, Nout. Portant, cependant, une coiffure royale, le pschent, il a été figuré ici en combattant. Sa tête animale n'a pas encore été identifiée. Enfin, pour évoquer une éventuelle origine asiatique, il porte le pagne de ces contrées.
Bronze damasquiné
Début de l'époque saïte
Musée de Copenhague

I
Le calendrier

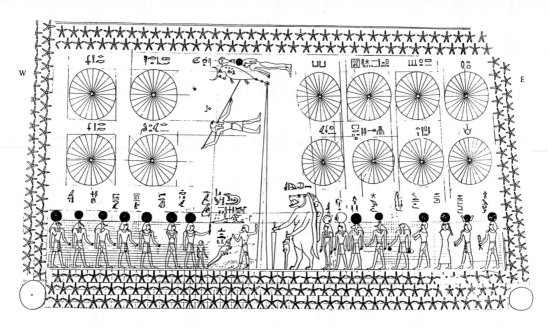

Calendrier de Semenmout : les saisons
représentation du premier calendrier Les douze mois sont évoqués par douze cercles de haut en bas et de gauche à droite. Quatre mois de la saison Akhet (Inondation), deux premiers mois de la saison Peret (hiver), deux derniers mois de la saison Peret (printemps) et quatre mois de la saison Shemou (été).
Caveau funéraire de Semenmout – XVIIIᵉ dynastie – Deir el-Bahari

Le « Père des dieux »

« Le Nil, cet unique fleuve d'Égypte, transformé une fois l'an en une Inondation bienfaisante fut, sous cet aspect miraculeux et providentiel, vénéré comme la divinité inaccessible hors des bornes de l'Univers. » (E. Drioton).

À la fin de l'ère pharaonique, les textes sacrés du temple d'Edfou (IIIᵉ siècle avant notre ère), continuaient encore à chanter la gloire du **« Père des dieux, l'ancêtre qui a créé l'Ennéade et qui nourrit les dieux par le suintement de son corps. Les hommes vivent de sa sueur jusqu'à ce qu'il arrive un autre moment, qu'il vienne en paix : c'est l'Eternel qui ne peut pas périr. »**

L'Égypte avant l'Égypte

Si tôt que nous puissions imaginer des hommes la contempler, aux époques les plus reculées avant la période paléolithique, nous pouvons tenter d'avoir une idée de la vie de ceux auxquels l'anthropologue Leakey attribuait la *pebble culture*, c'est-à-dire la culture du silex éclaté.

Sur les terrasses de la montagne thébaine (le piémont du Sahara), nous avons, avec le préhistorien Debono, le professeur Biberson, préhistorien et anthropologue, et le professeur Coque, géomorphologue, retrouvé des instruments de silex analogues aux «silex éclatés». Ces outils sont maintenant conservés au département égyptien du Musée du Louvre. Ils étaient assurément sortis des mains primitives des bien

Image du «Grand Vert», ouadj our
Ce génie corpulent, dont le corps est entièrement recouvert de «fils d'eau», évoque l'inondation du Nil qui se répand sur l'Égypte pendant quatre mois à partir de la fin de juillet.
Temple de Sahourê
Ve dynastie

Le génie de l'Inondation
Coiffé d'une touffe de papyrus, il tient, dans chacune de ses mains, deux vases d'où s'échappe de l'eau.
C'est l'évocation des sources mythiques du Nil, tapi dans une grotte entourée du serpent de la terre.
Cette image est à l'origine du signe zodiacal du Verseau.
IIe de Philae – Porte d'Hadrien
Époque romaine

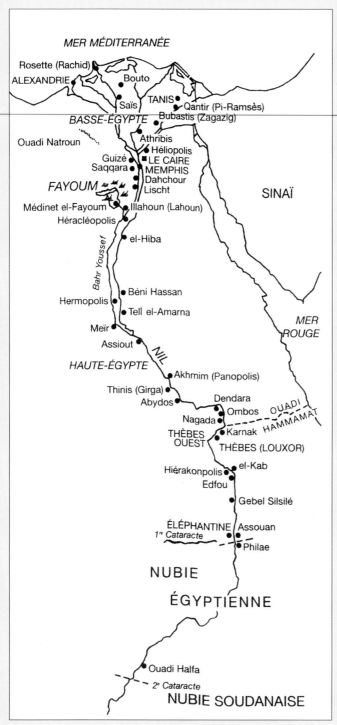

MER MÉDITERRANÉE

Rosette (Rachid)
ALEXANDRIE
Bouto
Saïs
TANIS
Qantir (Pi-Ramsès)
Bubastis (Zagazig)
BASSE-ÉGYPTE
Athribis
Ouadi Natroun
Héliopolis
Guizé
LE CAIRE
Saqqara
MEMPHIS
Dahchour
Lischt
FAYOUM
SINAÏ
Médinet el-Fayoum
Illahoun (Lahoun)
Héracléopolis
Bahr Youssef
el-Hiba
Béni Hassan
Hermopolis
Tell el-Amarna
Meïr
MER ROUGE
Assiout
NIL
HAUTE-ÉGYPTE
Akhmim (Panopolis)
Thinis (Girga)
Dendara
Abydos
Ombos
OUADI
Nagada
HAMMAMAT
THÈBES OUEST
Karnak
THÈBES (LOUXOR)
Hiérakonpolis
el-Kab
Edfou
Gebel Silsilé
ÉLÉPHANTINE
Assouan
1re Cataracte
Philae
NUBIE
ÉGYPTIENNE
Ouadi Halfa
2e Cataracte
NUBIE SOUDANAISE

Le Nil (partie septentrionale)
Carte du plus long fleuve de la terre, coulant des grands lacs
d'Afrique jusqu'à la Méditerranée.

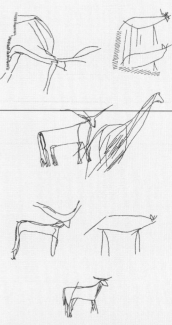

Graffiti de la haute préhistoire
Au pied de la pyramide
de rochers, les premiers
hommes avaient gravé
les silhouettes des animaux
qu'ils rencontraient.
La girafe est très
reconnaissable.
Thèbes-Ouest – Gravure
rupestre préhistorique

**L'image d'un éléphant,
gravée au pied
de la Sainte Cime.**
Thèbes-Ouest
Gravure rupestre

lointains ancêtres des fellahs, vivant sur ces hauts plateaux en prédateurs suivant les ressources d'une végétation luxuriante et où devaient circuler éléphants et girafes, auxquels font encore allusion les graffiti gravés sur les flancs de la fameuse cime thébaine, véritable pyramide naturelle.

Du haut de la falaise, ces mêmes nomades pouvaient apercevoir l'énorme étendue d'eau du gigantesque estuaire où se jetait le fleuve, bien loin au nord, espace qui devint plus tard le delta du Nil.

Au sud, leur marche les avait peut-être amenés à l'endroit où, plus tard, les eaux apaisées du fleuve, appelé Nil blanc, étaient rejointes par celles du Nil bleu, venant du lac Tana d'Éthiopie.

Ce golfe immense présentait des eaux gonflées annuellement par une crue véhiculant des terres arrachées sur leur passage.

La montagne thébaine
L'extrémité du piémont du Sahara thébain était engloutie par les eaux à la haute préhistoire. Seule émergeait la Sainte Cime en forme de pyramide. Thèbes-Ouest (rive gauche).

L'apparition du Nil

Lorsque, au cours de plusieurs millions d'années, le niveau de ce gigantesque lac s'abaissa, les couches alluvionnaires, portées par les eaux, s'étaient accumulées : elles finirent par constituer la vallée du Nil au temps du paléolithique supérieur. Ensuite, pendant la période néolithique, la population s'était installée sur les terrains proches de l'eau, dont le sol était si fertile, que bien des graines pouvaient germer et s'épanouir, avant même que cent vingt fois le soleil ait pris le temps de se lever et de disparaître de l'horizon.

Plaine Thébaine
Les eaux de la haute préhistoire s'étant retirées, laissent la place à un début des cultures.

La plaine de la rive gauche du Nil à Thèbes
À la fin de l'Inondation, les eaux du Nil se retirent. Les cultures vont renaître. Pendant la crue, les Égyptiens pouvaient circuler sur des chemins en forme de digues surélevées. Les «Colosses de Memnon», seuls vestiges du temple jubilaire du pharaon Aménophis III, montrent que l'Inondation recouvrait «rituellement» le sol des temples.

Le calendrier lunaire

Une autre possibilité de préciser un temps déterminé était d'utiliser les diverses phases de la lune, si mystérieuses et à l'observation desquelles un certain décalage avait été constaté. Cependant, le cycle lunaire présentait de nombreux avantages visuels, ce qui, d'évidence, garantit sa longévité.

Le néolithique

À l'époque néolithique, pour se mettre à l'abri, les hommes édifiaient d'abord des huttes de branchages, puis ils en vinrent à façonner des masures avec de la boue du Nil, ensuite remplacées par des habitats à plan rectangulaire, constitués de ce qui allait devenir l'ancêtre de la brique, faite avec l'humus laissé par le fleuve et mélangé à de la paille carbonisée.

Le Nil venait de livrer le matériau de construction qui, jusqu'à nos temps modernes, fut toujours employé pour l'édification des maisons.

Les sépultures découvertes sur les sites néolithiques prouvent, sans ambiguïté, par leur composition, que les habitants de ces rives fertiles possédaient déjà la notion d'une survie, assurée par des rites, que les ébauches de mobilier funéraire attestaient. C'étaient quelques petites figurines humaines et animales, des poteries en terre cuite, révélant la nature magique de ces dépôts.

Dans les coupes et les récipients avaient été déposées principalement des graines. Un décor peint à l'ocre ornait les parois extérieures des vases, des coupes et même de petits coffrets.

La marque de l'Éthiopie

Un des motifs du décor le plus fréquent était le dessin d'une plante, maintenant identifiée au bananier sauvage d'Éthiopie, la *musa enseta*. Très souvent aussi, figurait l'image d'une barque aux multiples rames, souvenir éventuel d'une navigation (d'une arrivée par le fleuve?).

Je suppose, que ces embarcations pouvaient évoquer l'Inondation annuelle, au cours de laquelle les transformations allaient se réaliser pour les défunts – si l'on en juge par ce que les textes nous enseigneront plus tard. La *musa enseta* devait rappeler le pays d'où venait le flot gonflé par chaque crue annuelle, en véhiculant des alluvions arrachées aux rives de l'Atbara d'Éthiopie et en emportant, avec elle, des plantes de bananiers sauvages.

Pour l'Égyptien de la préhistoire qui ne connaissait pas les sources du Nil blanc, l'Éthiopie passait sans doute pour le pays d'où l'Inondation surgissait, pays que, à l'époque historique, les textes désignaient comme étant la « Terre du dieu ».

L'impact du Nil fut donc d'une importance extrême dans le domaine de la pensée religieuse pour ce peuple qui, dès la plus haute époque, paraissait bien croire en une destinée future et aux forces qui la régissaient.

Vase néolithique
Récipient décoré de l'image d'un bateau à multiples rames.
Poterie peinte
Époque gerzéenne

L'Égyptien, en deve-
nant cultivateur, donc
sédentaire, fut cer-
tainement assez vite
sensible au rythme
du temps qui s'écou-
lait entre l'arrivée de
la crue se répandant
sur toutes les surfaces
arables, puis sa dispari-
tion pour réapparaître au
moment où le sol desséché attendait son bienfaisant retour. Les remarquables qualités
d'observation de l'habitant des rives du Nil lui
avaient permis de déceler les phénomènes qui
précédaient régulièrement la périodique montée des flots. Rompu à l'étude des astres, il avait
décerné et étudié les formations assez nombreuses de constellations, dont les plus
importantes, à ses yeux, (sans oublier la Grande
et la Petite Ourse), étaient celles dont la disposition des différentes étoiles constitutives rappelait

**La chienne
de Sothis**
Statuette de la petite
chienne évoquant
l'étoile la plus brillante
de la constellation du
Chien : Sothis (Sirius).
Chlorite sculpté – Haute Époque
Musée du Louvre

Le Grand Chien
a) La constellation du Grand Chien,
telle qu'il faut la lire dans le ciel.
b) La même constellation munie
d'un pointillé soulignant
la silhouette du chien, dont
elle évoque le profil.
Dessin de Ch. Desroches
Noblecourt

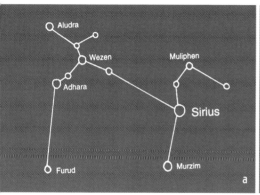

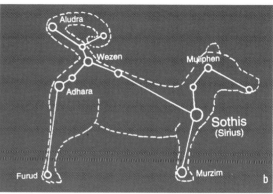

le profil d'une petite chienne. La plus brillante de celles-ci fut appelée *sepedet*, Sothis pour les Grecs et Sirius pour nous.

Cette magnifique étoile devenait invisible pendant soixante-dix jours, puis brillait à nouveau dès l'aube où, quelques instants après sa réapparition, se levait le soleil. Ce phénomène précédait de peu l'arrivée de l'Inondation : alors était fêté le **jour de l'An** qui sanctionnait le début d'une période s'écoulant entre deux crues du Nil.

La naissance du calendrier solaire

La division de cette période fut, très logiquement, répartie en trois sections principales, commandées surtout par les activités agricoles. Au cours du cycle où le soleil était apparu et s'était cent vingt fois couché, soit pendant quatre mois de trente jours, le paysan avait eu la possibilité de préparer le terrain, de planter et de récolter la majorité de ses cultures. Il appela cette période *peret*, (mise en terre du grain, sa

La crue idéale
La hauteur d'une crue bénéfique du Nil devait atteindre les seize coudées (soit environ 8,40 m). Le phénomène était si connu, que les Romains consacrèrent au Nil-Inondation une statue d'homme en pleine force de l'âge, entouré de seize petits personnages, évoquant la crue parfaite, l'hilaritas.
Rome

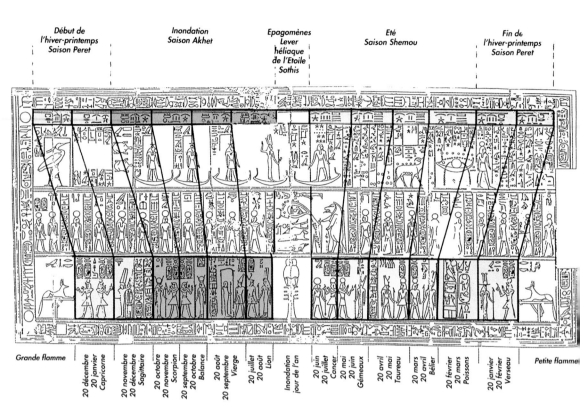

Plafond du Ramesseum
La ligne horizontale du calendrier sculpté au plafond du Ramesseum coïncide exactement avec l'ordre des signes du zodiaque. Le début du calendrier correspond aux deux derniers mois de l'hiver (Verseau et Poissons). La fin du calendrier correspond aux deux premiers mois de l'hiver (Sagittaire et Capricorne). Temple de Ramsès II XIXᵉ dynastie – Thèbes-Ouest

germination et sa sortie). Elle comprenait les deux derniers mois de l'hiver et les deux premiers du printemps. Une autre saison lui succédait, de même importance et de même durée, pendant laquelle les dernières productions de la terre étaient recueillies, tel le lin et, pour finir, le raisin de la vigne.

Lorsque le sol commençait à s'échauffer, le niveau des eaux du fleuve s'abaissant considérablement, entraînait l'assèchement des canaux d'irrigation qui avaient été aménagés par les chefs. Ces jours pénibles, où la chaleur s'intensifiait et les activités décroissaient, constituaient la période des quatre derniers mois de l'année, dénommée *shemou* (ce qui a donné *hammam* en arabe), bref, l'été.

Enfin, l'Inondation, au début des quatre

autres mois de l'année, revenait, annoncée par l'étoile Sothis. C'était, alors, la période de plénitude, appelée *akhet*, pendant laquelle le flot allait recouvrir à nouveau toutes les terres arables et les fertiliser une fois de plus.

Le premier jour de l'événement, celui du Jour de l'An, était célébré au cours de la cérémonie de l'*oupèt renpèt*, c'est-à-dire « l'Ouverture de l'Année ». On apprend, par les premières inscriptions, que, avant la fin de la période prédynastique, les habitants de cette terre bénie avaient, depuis longtemps, la notion de ce grand cycle et conçu la signification exacte du mot *renpèt* : année.

Le premier jour de l'année fut dédié à la science, à la connaissance, à l'intelligence, en un mot : consacré à la forme divine appelée **Thot**, matérialisée avant tout par le singe cynocéphale, originaire – il fallait s'y attendre – du **Pays de Pount**, d'Éthiopie, la fameuse **Terre du dieu**.

Les épagomènes

Dans ce grand cycle, commandé par le Nil, les trois saisons comptaient donc, chacune, cent vingt apparitions et disparitions du soleil. On se souvient que les astronomes avaient divisé, suivant la progression et la régression de la température, chacune des trois saisons en quatre groupes de trente complètes «révolutions» du soleil, correspondant, chacune, à un mois de trente jours. Chaque mois était divisé en trois «semaines» de dix jours chacune, les décans. À ce compte, l'année comprenait trois cent soixante jours. Il manquait donc cinq jours et un quart, pour compléter la période qui séparait chaque retour de la crue. Ces cinq jours furent donc considérés comme supplémentaires, appelés par les Égyptiens «les jours sur l'année». Bien plus tard, les Grecs les désignèrent par le terme «épagomènes».

Enfin il manquait encore le quart de jour dont les prêtres, soucieux de respecter le rythme de la nature, devaient tenir compte. Ce quart était – prétendaient-ils – laissé à l'intervention du dieu. Les paysans étaient les premiers à le respecter en raison de la croissance des cultures qui ne devait pas échapper au cadre réel et régulier des saisons.

Cependant – et je dois ici simplifier et faire abstraction des nombreuses difficultés et contradictions rencontrées –, les administrations semblent avoir voulu négliger systématiquement ce quart du temps, lequel, non pris en compte, faisait perdre un jour au bout de quatre inondations. À l'issue de huit années, deux jours étaient encore perdus... Afin que cette année « vague » et l'année solaire « fixe » coïncidassent, il fallait attendre 4 x 365 jours, c'est-à-dire 1460 jours. C'est ce que les Égyptiens appelaient une **période sothiaque**.

L'omission d'un quart de jour dans la gestion administrative du temps était l'objet de nombreux inconvénients pour les scribes dont on sait qu'ils se plaignaient, à certaines époques, de constater que les saisons réelles ne correspondaient plus aux sai-

L'année solaire
À l'Ancien Empire, les Egyptiens avaient depuis longtemps divisé l'année en trois saisons de quatre mois chacune. Ici, le haut fonctionnaire Mererouka a représenté, sur un papyrus suspendu à un chevalet, deux hommes et une femme qui présentent devant eux, de droite à gauche, les symboles des quatre mois de l'Inondation (Akhet), des quatre mois de la saison hiver-printemps (Peret) et des quatre mois de la saison des chaleurs (Shemou).
Tombe de Mererouka
Sakkara – VIᵉ dynastie

sons administratives, devenues irréelles en raison du décalage du calendrier. Ainsi arrivait-il que la fête de la moisson sollicitait les administrations en plein hiver !

Les savants des temples et la population des cultivateurs demeurèrent toujours fidèles au plus près du cycle réel des saisons et des mois, en intégrant parfois des retards, cependant peu importants, constatés dans l'arrivée du flot providentiel, tributaire des pluies et de la fonte des neiges près des grands lacs africains.

... des légendes

De multiples légendes religieuses furent attachées aux mois et aux jours de l'année. Une des plus frappantes est l'explication donnée à la

Origine du Mythe d'Adam et Ève
Parce qu'ils avaient désobéi au démiurge, Gheb et Nout furent séparés éternellement. Nout devint la voûte céleste et Gheb, dont les contorsions pour rejoindre sa bien-aimée formèrent les montagnes, incarne la Terre.
Papyrus funéraire
Musée du Caire

présence des cinq jours « supplémentaires » qui, bien plus tard, laissèrent des traces, reprises dans l'Ancien Testament au sujet d'Adam et Ève.

En effet, le démiurge, après avoir de lui-même créé la force solaire, composée de **Shou** et de **Tefnet**, fit en sorte qu'ils engendrent **Gheb** et **Nout** : la Terre et le Ciel. Ces derniers, étroitement enlacés, furent néanmoins soumis à l'ordre divin de ne jamais s'accoupler. Or, ces instructions divines furent transgressées et la terrible punition s'ensuivit. Le Ciel fut séparé de la Terre par Shou qui souleva le corps de Nout, ainsi transformée en voûte céleste, alors que Gheb fut maintenu au sol par les piétinements de Shou en dépit des efforts qu'il fit pour rejoindre sa bien-aimée.

Néanmoins, après l'intervention de certaines formes divines et afin de permettre à Nout de mettre au monde les quintuplés, qu'elle portait en son sein, le démiurge voulut bien ajouter à l'année les cinq jours supplémentaires.

Ainsi apparurent **Osiris**, **Isis**, **Nephthys**, **Seth** et **Horus**, lesquels se penchèrent sur l'humanité.

Intérieur de la clepsydre
Autour ont été ajoutés les signes du zodiaque pour une meilleure compréhension.
Dessin de clepsydre XVIIIᵉ dynastie
Musée du Caire

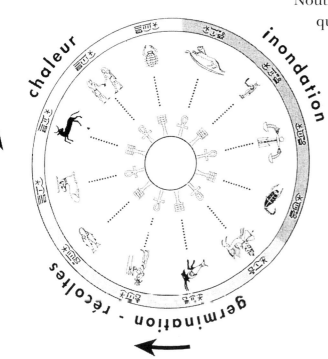

chaleur

inondation

germination - récoltes

La mesure du temps

Les prêtres-astronomes s'efforcèrent de régler le problème concernant la longueur des heures dans le calendrier. Pour les Egyptiens, en effet, le jour commençait par le lever du soleil, et la nuit débutait au coucher de l'astre. Mais, quelle que soit la saison envisagée, ils divisaient les périodes d'ensoleillement ou de ténèbres en douze sections.

Les clepsydres, ces horloges à eau, ont gardé la preuve de cette répartition. De ce récipient tronconique, l'eau, dont on le remplissait, s'échappait à la base par une minuscule ouverture. À l'intérieur du récipient, sur ses flancs circulaires, le laps de temps qui s'écoulait entre les heures était consigné suivant les saisons. Les marques des heures étaient donc plus ou moins espacées ou rapprochées.

La clepsydre
Face extérieure d'une clepsydre tronconique. Le récipient était rempli d'eau qui s'écoulait par un petit trou, percé à la base. La succession des degrés incisés sur la paroi circulaire intérieure permettait d'indiquer l'heure suivant les différents niveaux de l'eau. Cette «horloge à eau» fut inventée par un physicien égyptien de la XVIIIe dynastie. Dessin de clepsydre XVIIIe dynastie Musée du Caire

Les calendriers

Il existait en Égypte, comme dans la majorité des pays de l'Antiquité, des calendriers lunaires, dont certains peuvent être comparés à celui utilisé dans les pays musulmans de nos jours.

Sous la pression des scribes et sans doute avec l'aval de certains souverains, un réajustement entre le calendrier solaire et le calendrier vague (ou civil) fut entrepris ainsi encore sous l'autorité des premiers pharaons Ptolémées. Cette réforme n'aboutit point, très probablement pour des raisons religieuses qui nous échappent encore actuellement.

Le Jour de l'An

Que le calendrier soit solaire ou qu'il dépende des phases de la lune, le Jour de l'An, que tout

Hâpy, le génie de l'Inondation
Toujours représenté avec une poitrine généreuse et un abdomen volumineux, Hâpy est coiffé de trois papyrus émergeant de l'eau. Il présente de ses deux mains une table d'offrandes, garnie de nourriture.
Statuette de bronze
Époque saïte
Musée du Louvre

Célébration du Jour de l'An
Souverains et prêtres, à l'occasion des fêtes du Jour de l'An, vont gagner la terrasse du temple. Le naos, abritant la statue divine, est aussi véhiculé dans l'escalier aménagé à l'intérieur du pylone.
Temple de Dendara – Basse Époque (gréco-romaine).

Égyptien respectait, était celui des temples et des campagnes, lorsque **Hâpy**, l'Inondation, était revenu et commençait à se répandre sur la totalité des terres. Dès que les temples furent édifiés et qu'ils furent couverts d'une terrasse, les prêtres, pour ce jour exceptionnel, venaient, en grande pompe, y transporter la statue du culte dans son naos, afin que, portes ouvertes, le premier rayon du soleil levant, à l'aube de l'ère naissante, y dépose son premier baiser.

Alors, du haut des terrasses, l'An nouveau était proclamé de temple en temple. Les digues dressées à l'entrée des canaux étaient détruites : l'eau nouvelle et fertilisante se répandait partout sur les champs noyés et on circulait en fête et en musique dans des barques familiales ; des banquets étaient préparés en chantant et en dansant.

À Thèbes, le grand vase du dieu Amon, le « Caché », était cérémonieusement véhiculé sur des brancards portés par les prêtres. Muni d'un

Un concert
Ce concert est exécuté par des musiciennes à l'occasion d'une grande fête. On notera, que la harpe est typiquement égyptienne. En revanche, la lyre est d'origine sémite.
Peinture de tombe – XVIIIe dynastie – Thèbes-Ouest

Dame au banquet
Dame participant à un banquet. Les charmantes jeunes domestiques ne se limitent pas seulement à présenter aux convives des mets de choix, elles contribuent aussi à les parfumer et à les orner de colliers de fleurs.
Peinture de tombe
XVIIIe dynastie – Thèbes-Ouest

Naissance du soleil
Sujet qui évoque la petite chienne de Sothis contemplant l'enfant solaire, Harpocrate, qu'elle vient de faire apparaître.
Terre cuite vernissée
Moyen Empire
Musée du Caire

couvercle à l'image du bélier divin, il avait été rempli de l'eau nouvelle, que les prêtres chargés de ce rite étaient allés puiser sur le bord du fleuve, ou du canal du temple. Devant le grand sanctuaire de Karnak, les fouilles ont dégagé la descenderie que les prêtres empruntaient pour atteindre le grand canal afin d'y puiser l'eau sainte.

Toutes les délégations de hauts fonctionnaires se dirigeaient vers le palais, (le *per our,* la Vaste Maison), mais avant tout vers le temple jubilaire du roi régnant, ambassadeurs des pays amis en tête, afin d'offrir les présents de choix à Leurs Majestés, le souverain et la reine. Parents et amis échangeaient des cadeaux.

Les petits vases, remplis de l'eau quasi miraculeuse, circulaient dans toute l'Égypte et on se souhaitait « l'ouverture d'une belle année », une *oupet renpet néferet.* Pharaon expédiait

Procession du vase d'Amon
Le grand vase d'Amon au bouchon en forme de tête de bélier et rempli de l'eau nouvelle de l'Inondation,
sortant du Temple d'Amon, est porté en procession par les prêtres.
Tombe de Panehésy – XVIIIᵉ dynastie – Thèbes-Ouest

même à des souverains étrangers, des jarres d'eau sainte qui, disait-on, assurait à toutes les femmes une heureuse fécondité. À l'inverse, on venait de l'étranger en Égypte puiser dans le Nil cette eau de l'Inondation.

De l'eau sainte à la canicule

Parmi les présents les plus fréquents était l'image de la petite chienne, la *canicula*, ainsi que les Romains l'appelèrent dès leur arrivée en Égypte. Au Moyen Empire on vit apparaître des figurines de terre cuite représentant, sur un socle, la petite chienne de Sothis, face à un jeune garçon tout nu : c'est Horus, l'enfant solaire, évoquant le soleil levant. Lorsque l'époque ramesside fut affirmée, l'étoile

Petite «gourde du Nouvel An»
Ces petits récipients, remplis de l'eau sainte nouvelle, sont l'exemple typique du cadeau, que les Égyptiens échangeaient entre eux (à l'époque saïte). Le goulot était souvent flanqué des images de deux cercopithèques, originaires des sources du Nil. D'un côté de la panse, la vache Hathor apparaît sur sa nacelle, sur fond de papyrus.
De l'autre côté, le sujet central évoque le sommet du sistre hathorique, posé sur le signe de l'or.
Vase de terre cuite vernissée
Époque saïte
Musée du Caire

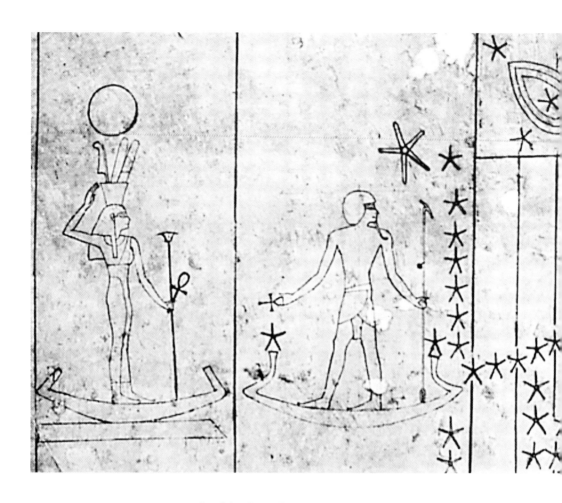

Orion et Sothis
Décor du plafond du caveau
funéraire de Senenmout.
Dans le ciel, Orion sur
sa barque est précédé
de l'étoile Sothis qui
apparaît en élégante
jouvencelle.
Tombe de Senenmout
XVIIIe dynastie
Deir el-Bahari (Thèbes-Ouest)

Sothis fut alors représentée sur les calendriers par l'image d'une élégante jeune femme, voguant au ciel sur une barque non loin de celle d'Orion.

Enfin, à la période romaine, le fond de certaines coupelles qui servaient également à offrir à boire l'eau bienfaisante, était décoré de l'image, en relief, de la *canicula*, sur le dos de laquelle la charmante et si féminine Sothis était assise en amazone.

Le Jour de l'An coïncidait, autour du 18 juillet, avec les moments les plus chauds de l'année. Dans le ciel scintillait l'étoile de la petite chienne qui donna son nom à cette période de l'année a la chaleur parfois étouffante : la canicule.

L'intervention de Jules César

Lorsque Jules César arriva dans le pays, où Cléopâtre parvint à le retenir quelque temps, un de ses premiers soucis fut de charger le savant alexandrin Sosigène, en l'an 45 avant notre ère, d'abandonner le calendrier lunaire de Rome pour adopter celui des temples égyptiens qui faisait régulièrement revenir l'année à date fixe, et qu'il avait lui-même déclaré être « le seul calendrier intelligent qui ait jamais existé dans l'histoire humaine ». Il l'adopta, après lui avoir fait subir une correction que Ptolémée II Évergète avait préparée, et l'imposa à Rome. Ce calendrier connut ensuite la même fortune dans

Coupe (fragmentaire) à boire
Récipient destiné à boire l'eau sainte du Nouvel An. Le décor en relief est constitué de la chienne de Sothis, montée, en amazone, par l'image féminine de la déesse. Le fond du décor représente la vigne d'Osiris qui était mûre au moment de l'arrivée de la crue, fin juillet.
Grauwacke
Époque gréco-romaine
Musée du Louvre

Image d'éternité
Les déesses de la barque
du jour (à gauche)
et de la barque de la nuit
(à droite), se transmettent
éternellement le globe
solaire.
Cuve funéraire de Taho
Époque saïte
Musée du Louvre

une très grande partie du monde. Notre Gaule
ne fut pas la dernière à le faire sien, avec ses
douze mois, dont la majorité était placée sous
l'efficacité de symboles agraires, traduisant les
instants lumineux (solaires) et nocturnes (osiriens) du dieu : en un mot, l'éternel cycle de la vie,
de la mort et de la résurrection. Ainsi, le zodiaque
égyptien, qui apparaît à la Basse Époque sous l'aspect général qu'on lui connaît de nos jours, est
constitué de douze signes, illustrant les faits essentiels attachés aux activités ou aux légendes
attribuées à chaque mois du calendrier solaire
égyptien, comme on le verra plus loin.

Ce calendrier et son Jour de l'An, introduits en Europe par Jules César, furent étudiés assez rapidement par les autorités ecclésiastiques chrétiennes du haut Moyen Âge, sans changements apparents. Suivant la volonté de plusieurs papes, et surtout de Grégoire XIII qui lui fit subir quelques réformes (1582), la période de la canicule comme début de l'année fut abandonnée. Le Nouvel An fut déplacé vers l'automne, puis fut établi définitivement entre la fin de décembre et le début de janvier. Il engloba alors dans ses manifestations festives chrétiennes certaines cérémonies païennes.

Excursus

Au cours des années révolutionnaires, Fabre d'Églantine fut sollicité pour affecter de nouveaux noms aux mois du calendrier, de façon à mieux illustrer les périodes de l'année, au cours desquelles ils apparaissaient ; ainsi : ventôse, pluviôse… fructidor… À cette fin, il dut se référer au calendrier zodiacal égyptien, dont je parlerai plus loin. Ce dernier avait été copié sur certains grimoires latins. Il disposait donc d'un modèle des fêtes célébrées en Égypte, puisqu'il introduisit les cinq jours épagomènes dans son calendrier, en les appelant « les sansculottidés » !

II
LE LION ET LES SAUTERELLES

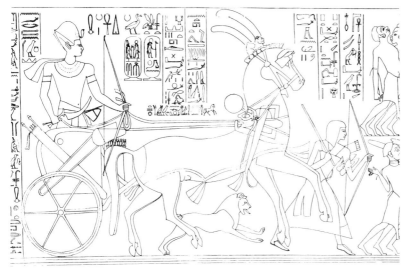

a   b

a - **Ramses II**
Le pharaon défilant
vainqueur sur son char
accompagné de son lion.

b - **Chasse royale
de Toutânkhamon**
Représentée sur le fourreau
d'une des dagues du jeune
roi, cette chasse
aux taureaux sauvages,
aux ibex, est animée
par la fougue du lion
et du guépard royaux.
Or – XVIIIe dynastie
Musée du Caire

LE LION

À tout seigneur, tout honneur. Considérons
le cas du lion qui mérite si justement l'appellation de « roi des animaux ».

Sans craindre de le rencontrer journellement
au sein de leur paysage familier, les Égyptiens
de la haute préhistoire étaient suffisamment
informés de son existence pour l'avoir représenté, sur leurs palettes de schiste, victorieux
d'un adversaire humain et prêt à le dévorer, ou
le figurant vainqueur dans l'évocation d'une
citadelle ennemie (a).

À l'image de ce fauve, de sa redoutable
nature, mais aussi en raison de son impressionnante prestance, le lion est l'image du maître,

l'incarnation du chef incontesté. Il s'agit alors du lion, que le pouvoir humain a su faire plier au service de son prestige et de sa position: la force sauvage du grand félin a été canalisée dans le bon sens. Il est l'animal du bestiaire le mieux étudié, et si certains points sont encore à éclairer, nul ne conteste l'identification du souverain d'Égypte à celle d'un « lion valeureux » (b).

L'animal prête son corps à celui du sphinx (en égyptien *pa-sechep-ankh*), souvent doté d'une tête humaine, mais empruntant parfois celle d'un faucon ou d'un bélier, suivant la nature de la forme divine à laquelle il est attaché.

Les profils de deux lions, assis dos-à-dos, figurent celui de la montagne de l'horizon : ce sont les évocations d'Hier et de Demain entre lesquelles apparaît chaque jour le soleil.

Cuve du sarcophage de Khonsou
La montagne de l'horizon, au registre supérieur, on peut voir le lever du soleil entouré des deux lions de la montagne dos à dos.

Aussi, très tôt dans le décor, les gueules de lion sont-elles utilisées pour orner, dans les mobiliers funéraires, les sièges sur lesquels, dans l'au-delà, les défunts prennent place. En effet, leur siège est encadré par deux têtes de lion qui les font ainsi rayonner tel le soleil. Le plus bel exemple en est constitué par le magnifique « trône » de Toutânkhamon (Musée du Caire). Déjà bien avant, le puissant Khephren était, à l'Ancien Empire, statufié sur un siège moins ornementé que le précédent, mais aussi décoré et protégé par les deux têtes de lion.

Trône de Toutânkhamon
Lorsque le roi était assis sur ce fauteuil d'apparat, il était assimilé au soleil se levant à l'horizon entre deux montagnes, symbolisées par les protomés de lions. Bois, or, pâte de verre colorée – XVIIIᵉ dynastie Musée du Caire

Cette coutume se prolonge chez les Romains et nos souverains du Moyen Âge apparaissent, dans certaines enluminures, assis sur une sorte de pliant, défendu par des têtes de lions. Ce lion gardera les portes des temples et des palais, dès que les Romains le rencontreront en Égypte. Ils adopteront la tête de lion comme gardienne des huisseries; elle apparaîtra sur les gargouilles, sur les loquets, les serrures des temples ; l'eau des fontaines pourra jaillir de sa gueule et même toutes espèces d'animaux pourront être glissés entre les mâchoires figurées du lion.

Philippe le Bel trônant
Le roi est entouré de sa fille, Isabelle, reine d'Angleterre, de son frère Charles de Valois et de son fils, le futur Louis X le Hutin. Les deux têtes de lion continuent à encadrer le siège du souverain, rappelant, peut-être encore la puissance de son origine solaire.
Enluminure vers 1310
Bibliothèque Ste Geneviève, Paris

**Gargouille
du temple d'Edfou**

Cependant, avant que le lion ne soit domestiqué pour et par le roi, il peut représenter l'extrême danger et la violence qu'il faut anéantir. Des battues ont pu être organisées à cet effet: de célèbres textes et reliefs rappellent les chasses royales aux lions. Un exemple historique – c'est le cas de le dire – nous est fourni par un très rare objet figurant dans le trésor funéraire de la reine Iahhotep.

La dague de la reine Iahhotep

Cette reine, une des plus vaillantes dames royales du début du Nouvel Empire, avait soutenu les efforts de son époux et de ses fils lors des combats contre les envahisseurs de l'Égypte : les Hyksôs. En témoignage de reconnaissance, semble-t-il, le libérateur Ahmès (Ahmosis) déposa, entre autres, dans la tombe de sa mère une décoration militaire, composée de trois « mouches de la vaillance » en or et une dague, illustrée d'un bien étrange combat. En effet, on peut y reconnaître, à droite, un lion bondissant à la poursuite d'un taureau galopant, dans une fuite éperdue, en direction de quatre énormes sauterelles au calme olympien.

LES SAUTERELLES

Le début de la composition est très compréhensible : il faut y voir le lion, c'est-à-dire le roi, poursuivant dans une course sans pitié le taureau sauvage qui se voit brusquement arrêté dans sa fuite – ô dérision ! – par quatre irréelles sauterelles, dodues et placides autant que déterminées. On pourrait se demander s'il s'agissait d'une scène humoristique. Cependant, si l'on se reporte à l'époque à laquelle l'objet remonte, et aux épreuves alors traversées par l'Égypte et, en considérant l'objet destiné à la mère royale bien-aimée, cette suggestion ne peut tenir. Il faut donc cerner la signification de la sauterelle en Égypte pour percer assurément la symbolique de la scène.

En tout premier lieu et, une fois de plus, à l'encontre d'une idée reçue, la sauterelle n'a jamais été considérée, en Égypte ancienne, comme nocive, qu'elle soit figurée en liberté dans la nature ou représentée dans l'usage déterminé que les Égyptiens voulaient faire de son image.

Dans les textes dissuasifs, il est une seule fois question de ces orthoptères, capables de ravager les récoltes, c'est-à-dire du danger qu'ils repré-

**Décor de la dague
du Louvre**
La frise animale décorant
la dague du Musée du Louvre
est un peu moins élégante
que celle de la dague
du Musée du Caire (page
précédente).
Bronze – XVIIIe dynastie
Musée du Louvre

sentent. Évoqués dans l'énoncé des « plaies
d'Égypte », leur rôle est dû à l'imagination tardive des rédacteurs de la Bible.

En revanche, on connaît les effets désastreux
provoqués par les criquets, en Mésopotamie
comme en Afrique, dans l'Antiquité de même que
de nos jours. Dans les écrits de l'Égypte ancienne,
il n'est pas fait allusion à la dévastation, ainsi
qu'on le relève dans les textes orientaux, palesti-
niens et assyriens.

La présence des **sauterelles** évoque plus généralement l'idée de **multitude**, comparable au
groupement d'**innombrables soldats, prêts à
fondre sur l'ennemi, « nombreux comme des**

sauterelles ». La sauterelle est même parfois représentée avec l'âme du défunt près de la balance de la pesée des actions. Elle prête encore sa forme au roi qui s'élance vers le ciel !

Les objets décorés de l'image de la sauterelle sont aussi significatifs : pots à cosmétiques, peignes, petites amulettes pour se défendre contre les agressions de la vie et pour la préservation des onguents. Dans le paysage nilotique,

**Sauterelle
dans les marécages**
La sauterelle, évoquant
le combat pour le bien, est
ici figurée dans le décor
d'une chapelle funéraire
pour exercer une protection.
En revanche, l'hippopotame
maléfique est placé au fond
de l'eau.
Relief peint d'une tombe
Sakkara – Ve dynastie

la sauterelle trouve sa place décorative et protectrice; elle niche également aux plafonds illustrés des chapelles funéraires.

Si nous revenons à nouveau sur les sauterelles qui ornent la dague de la reine Iahhotep, nous pouvons alors les interpréter comme figurant la multitude des soldats, ces protecteurs redoutables du souverain. On ne peut manquer de se reporter aux fureurs libératrices du prince dont l'action fut déterminante pour débarrasser le territoire national de l'envahisseur asiatique et portant même le combat hors des frontières, comme le démontre la prise de Sharouhen, point d'appui des Hyksôs au sud de la Palestine, près de Gaza et dont le siège dura trois années. La scène prend alors sa réelle dimension.

La signification du décor de la dague

Le lion chassant le taureau sauvage, c'est le roi boutant l'ennemi hors du pays, et les armées, quatre fois répétées rituellement, sans doute pour situer leur action sur tous les points du territoire reconquis, sont figurées par les orthoptères. Ces sauterelles repoussent et réduisent le mal, comme elles devaient être chargées de protéger ceux qui en ornaient leurs amulettes ou les glissaient dans le décor bucolique de leurs chapelles funéraires.

Récipient à la sauterelle
Puisqu'elle est bénéfique, l'image de la sauterelle ornera des objets de toilette et, surtout, des pots à onguents. Elle protégera la qualité du produit qu'il contient et la personne qui l'utilisera.
Schiste – VIᵉ Dynastie
Metropolitan Museum, New York

LE LEGS

À ce propos, on pourrait, une fois de plus, constater, que la tradition s'est transmise dans notre Occident et a pénétré la symbolique du Moyen Âge. On retrouve les sauterelles dans les *moralia* du pape Grégoire le Grand comme le symbole de la *conversa gentilitas*, à savoir les païens qui se rallient au Christ et se rassemblent en essaims de sauterelles pour lutter contre Satan. Aussi, au XIIe siècle, trouve-t-on sur un chapiteau de Vézelay une sauterelle tenant tête à un basilic, figure de l'Antéchrist. Au XIVe siècle, la peinture, attribuée à Giovanni Baronzio de Rimini, figure encore la Madone portant sur ses genoux l'enfant Jésus qui tient dans sa main gauche une énorme sauterelle.

Ainsi, un jour, le symbole de la sauterelle, vaillant soldat au service de la défense contre l'agression, quitta les rives du Nil pour illuminer de son bienfaisant message les chrétiens d'Occident.

Chapiteau de la basilique
Sainte Madeleine
de Vézelay

DR

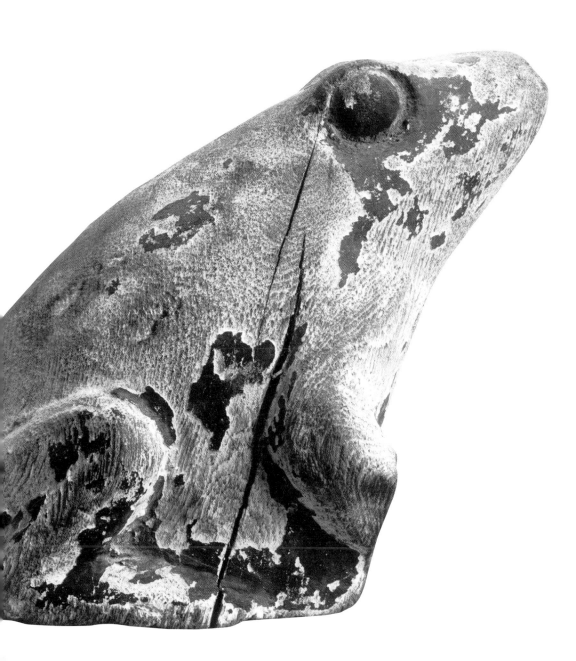

III
LA GRENOUILLE, DE LA PROTOHISTOIRE JUSQU'AUX ÉGLISES CHRÉTIENNES

Petite grenouille en bois
Objet de culte

La petite grenouille verte d'Égypte apparaît dans les productions artistiques des bords du Nil dès la plus haute époque.

Son utilisation

La forme du petit batracien est donnée à des godets dont l'ouverture est ménagée sur le dos de l'animal. Le contenu du récipient, très souvent de petite taille, devait être utilisé pour célébrer un rituel (probablement en rapport avec la renaissance) : c'était le prototype d'une lampe à huile.

Sa représentation

Au début de l'Ancien Empire, dès que les chapelles funéraires furent édifiées au-dessus des caveaux souterrains, les murs intérieurs de l'édifice présentèrent des décors faisant la plupart du temps allusion à la vie champêtre. Une scène,

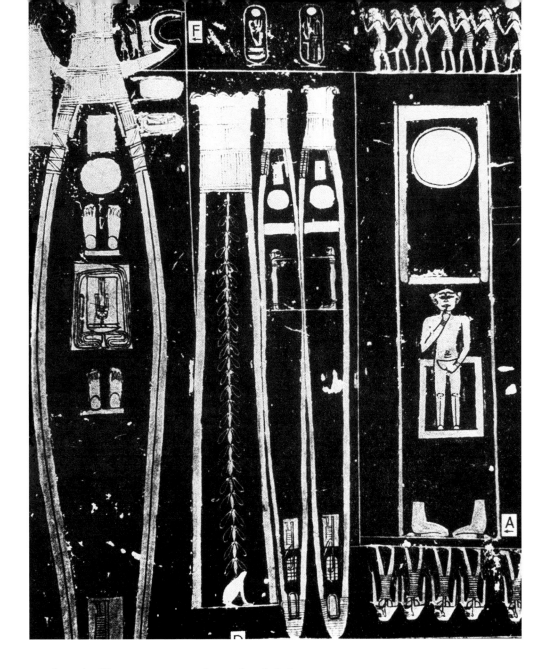

on le sait (il en sera question plus loin), est toujours réservée au marécage des bords du fleuve,
sur un fond de papyrus.

Le propriétaire de la tombe, entouré de sa
proche famille, y apparaît occupé à chasser et à
pêcher, debout sur une légère embarcation, faite
de roseaux ou de papyrus rappelant les nacelles
primitives.

Le contexte aquatique

Ce tableau, répété maintes fois, pendant toute la civilisation pharaonique, aux murs des chapelles funéraires, a constitué un cliché bien connu. Aussi retrouvera-t-on encore dans le « Dictionnaire des idées reçues » l'explication de cette scène comme étant l'évocation du délassement sportif favori, souhaité par le défunt dans l'autre monde. Il faut avouer que ce «délassement» éternel proposé devenait un peu monotone à travers les siècles ! Cela consistait simplement à extraire hors de l'eau, avec une pique, deux poissons et à tenter d'abattre des canards sauvages grâce à un bois de jet.

Au vrai, la scène si connue n'évoque pas un seigneur, occupé à enrichir, pour l'éternité, ses réserves alimentaires. Ses occupations sont davantage en accord avec son état de trépassé – comme nous le verrons plus loin.

Dans le fond des eaux, l'hippopotame, auquel il faut échapper, est tapi loin du navigateur, mais la bête sera, de son côté, attaquée par un autre support du démon : le crocodile. Ainsi, la lutte entre les deux monstres protégera le trépassé en mutation.

On distingue alors, dans les buissons de papyrus, tout un petit bestiaire animé : une légère sauterelle sur une tige de roseau, un ichneumon (le «rat de Pharaon») guettant des oiseaux dans un nid, un papillon prêt à se poser sur une feuille… et au milieu de toute cette effervescence apparaît, calme et posée sur une plante grasse, la placide grenouille. Comme un guide, elle semble orienter la barque sur le chemin voulu, pour assurer au défunt le passage vers la lumière, vers l'éternité.

Elle préside aux naissances

Le petite grenouille prêtera sa tête au génie féminin qui préside aux naissances. Elle apparaîtra sous cet aspect dans les scènes de théogamie, ornant les murs de certains temples dès le Nouvel Empire, pour illustrer la venue au monde de l'enfant du dieu et de la reine. Hékèt, divinité au corps de femme, mais à tête de grenouille, est présente à la naissance de la future reine Hatshepsout, ou encore à celle du futur Aménophis III.

Puissant moteur de la renaissance

Les objets du culte funéraire civil peuvent être décorés de la grenouille, ceci toujours dans le but de provoquer une renaissance après la mort. Ainsi existe-t-il, pour accomplir la libation au mort, de petits godets en forme de T. En réalité, l'objet a pour but d'évoquer l'image, en plan, du tronçon de canal conduisant du fleuve au débarcadère: c'était assurer au propriétaire du godet « la bonne arrivée » après le long voyage à travers les ténèbres du monde inférieur.

Ce godet, souvent posé sur une table d'offrandes, était parfois agrémenté d'une décoration symbolique, destinée à le rendre encore plus « opératoire ».

Godet à libation
Ce petit récipient est orné de plusieurs symboles. Sa forme en «T» indique «l'arrivée au bon port» à l'issue du long voyage. Le lotus de la renaissance solaire borde l'intérieur du bassin qui contient les deux poissons inet, incarnant l'âme d'hier et celle de demain. Enfin, la petite grenouille protège, pour une heureuse renaissance, l'écoulement de la libation et veille sur la bonne sortie du liquide qu'il contient.
Schiste – XVIIIe dynastie
Musée du Louvre

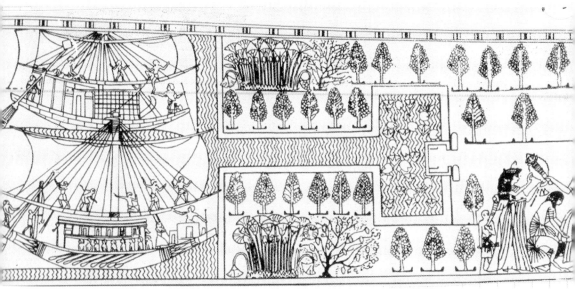

Port du temple de Karnak
Cette peinture d'une tombe
thébaine évoque «l'arrivée
au bon port», principalement
en raison du bassin en forme
de «T», où les bateaux
venaient s'abriter.
Tombe de Néferhotep
XVIIIᵉ dynastie
Thèbes-Ouest

Le Musée du Louvre en conserve un exemplaire exceptionnel. Les flancs du récipient, à l'intérieur, sont incisés d'images de lotus, évoquant l'apparition de la lumière solaire, et le fond est décoré des deux poissons de la renaissance. Afin que le liquide de lustration soit davantage efficace, le canal par lequel l'eau passait est dominé par l'image, en minuscule ronde-bosse, de la grenouille familière.

Les apparitions de la grenouille

Garante de l'entrée dans la vie future, cette grenouille ne fut pas ignorée par la reine Nofretari, la Grande Epouse Royale de Ramsès II, lorsqu'elle s'adressa aux puissances supérieures pour son accès à l'éternité.

Dans la dernière salle de son caveau de la Vallée des Reines, à l'issue de sa remontée des ténèbres, la souveraine se tient debout devant le dieu Thot au bec d'ibis qui préside aux paroles

divines, maître du calendrier et de l'Inondation. Pour obtenir l'aide indispensable à son ultime transformation, la reine lui présente la palette de scribe et l'image d'une majestueuse grenouille, dressée sur ses pattes postérieures. Ce geste permettra à la reine de dominer les écrits magiques et, par l'œuvre de la grenouille, d'obtenir le passage vers la lumière dans le monde de l'éternité.

Jamais la petite grenouille ne quitta le décor égyptien : elle surgissait dès qu'il était question d'assurer le renouveau de la vie. Lorsque, dans le temple de Dendara, – du temps de la septième Cléopâtre – les prêtres firent représenter, avec force détails, le caveau d'Osiris – le dieu du grand espoir à la survie – ils ne manquèrent pas de placer la grenouille Hékèt tout près de la momie d'Osiris, non loin des deux déesses tutélaires de la recomposition du corps divin : Nekhabit et Ouadjit.

Paisiblement, sur son séant, l'animal de la naissance se tient près de la couche où repose la momie d'Osiris : il garantit cette renaissance

Séthi Ier adore la grenouille
Ce génie divin est la grenouille Hékèt. Séthi Ier lui a consacré une chapelle dans son temple, où il est venu lui demander une heureuse survie osirienne.
Temple de Séthi Ier
XIXe dynastie
Abydos

attendue avec le réveil de la Nature, et la germination est évoquée par l'aspect ithyphallique du
dieu martyr.

À Philae, au moment où Isis, sous sa forme d'oiselle, se fait féconder par l'époux qu'elle vient
de réanimer, la petite grenouille veille près de la
couche divine.

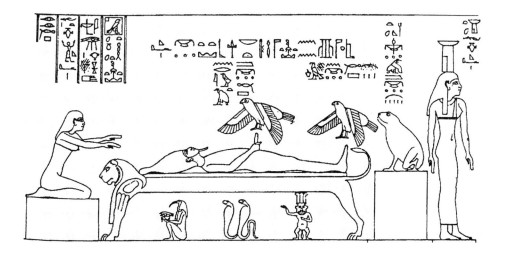

La grenouille, éternel accessoire du culte

Lorsque les derniers feux du paganisme égyptien s'assoupirent et que l'empereur Justinien ordonna d'abandonner, sur l'île de Philae, le dernier temple d'Égypte, le christianisme s'était déjà répandu sur la terre d'Isis, dont il avait repris l'héritage.

Isis trônait dans les nouveaux lieux de culte, tenant contre son sein l'enfant-dieu, en qui les vieux Égyptiens croyaient retrouver (ou reconnaître) Horus l'Enfant.

Le culte continuait à être célébré, baigné dans les senteurs de l'encens et de l'oliban de la «terre du dieu», à la lumière de petites lampes à huile en forme de grenouille, éternelle gardienne de la vie.

Le lit funéraire d'Osiris
Isis, sous forme d'une oiselle, la grande magicienne descend sur le corps de la momie d'Osiris pour se faire féconder. On peut voir, à droite, le génie-grenouille, Hékèt, exprimant l'espoir de la naissance de l'héritier posthume, Horus.
Temple d'Isis
Époque gréco-romaine
Ile de Philae

Page précédente
La grenouille chez Nofretari
Sans doute Ramsès II a-t-il surveillé la décoration de ce chef-d'œuvre que constituent les peintures de la tombe de son épouse bien-aimée. La reine présente la grenouille au maître des lettres et du calendrier, Thot, afin d'obtenir une heureuse renaissance. La palette de scribe qui y est ajoutée, est un hommage à l'intelligence divine, incarnée par Thot.
Tombe de Nofretari
XIXe dynastie
Vallée des Reines

IV

POISSONS,
TABOUS
ET RÉSURRECTION

Appréciée pour la qualité
de sa chair et aussi pour
le symbole de résurrection
qu'elle évoque, la petite
tilapia nilotica était
le poisson inet des temps
anciens et le boulti de nos
jours : la dorade du Nil.
Dalle de terre cuite vernissée
XIXe dynastie
Musée du Caire

LES TABOUS

Parmi les poissons qui peuplaient le vieux
Nil, l'oxyrhinque (le mormyre) était entaché
d'une gloire sulfureuse, car la légende l'accusait
d'avoir avalé le phallus d'Osiris, le dieu martyr,
lorsque celui-ci, victime de son frère Seth, avait
été découpé en morceaux et jeté dans le fleuve.

La tilapia et le lates

Deux autres habitants de l'onde, à la chair
pourtant succculente, ne figuraient cependant
pas toujours parmi les mets de prédilection des
Égyptiens, parce que certaines régions du pays
les tenaient pour tabous : les textes interdisaient
que l'on en fît une nourriture.

Il s'agit d'abord de la petite dorade du Nil, aux
nageoires rosées et aux modestes proportions.
Identifiée à la *tilapia nilotica*, on l'appelait, dans

l'Antiquité, le poisson *inet*. De nos jours, les pêcheurs égyptiens le nomment de *loulti*.

À l'opposé, la perche du Nil, le *lates niloticus*, pouvait – et peut facilement encore – atteindre la taille d'un homme. Elle avait parfois été confondue avec le légendaire poisson *abdjou*, ce qui l'introduisait dans le mythe osirien. Assez mystérieux, un de ses aspects essentiels a été révélé par une peinture murale d'un caveau de Deir el-Medine. On voit un gros poisson représenté sur un lit funéraire, encadré par les deux déesses de la reconstitution du mort, Isis et Nephthys, ainsi qu'Anubis comme penché sur le cœur du poisson qui figure telle une momie humaine. Il s'agit donc bien de la première transformation du mort, bénéficiaire des rites funéraires qui l'entraîneront vers sa quête d'éternité.

Le défunt sous forme de poisson
La première transformation du mort, replongé dans les eaux primordiales, était sous la forme du poisson mythologique abdjou.
Il emprunte l'aspect du lates niloticus (perche?), ici momifié sous la sauvegarde d'Anubis, à tête de chien.
Tombe thébaine
XIXᵉ dynastie – Thèbes-Ouest

Or, il apparaît que ces deux poissons, *tilapia* et *lates*, auraient été utilisés comme images pour illustrer deux étapes essentielles parmi les multiples avatars du mort au cours de son cheminement, ce qui rattacherait l'usage de ces coutumes funéraires à la légende osirienne, répandue dans tout le pays.

En effet, à deux reprises, Seth, le malfaisant, avait utilisé le Nil pour faire disparaître son frère, le bienfaisant, et, par deux fois, la dépouille d'Osiris avait cependant échappé à l'anéantissement.

La tilapia, le poisson inet

Quoi qu'il en soit, je n'avais pas eu l'occasion de me pencher sur la signification des deux poissons (qui ne semblaient pas avoir davantage

taquiné la curiosité de mes collègues) jusqu'au jour où il me fut nécessaire de comprendre la présence et, partant, le message, du petit poisson *inet,* la *tilapia nilotica* gravée sur la paroi extérieure d'un petit godet, dont je faisais l'acquisition pour le Musée du Louvre. L'image de la *tilapia* en question y figurait, flanquée de deux représentations anthropomorphes accroupies de l'Inondation, occupées, semble-t-il, à la protéger par l'imposition d'une de leurs mains.

En définitive, mes recherches sur les deux poissons aboutirent à la fameuse scène «de chasse et de pêche » dans les marécages, illuminant, à toutes les époques, la quasi-totalité des chapelles funéraires et à laquelle je viens de faire allusion en traitant également de la si durable symbolique de la grenouille.

Inet prêt à la renaissance
Deux génies de l'Inondation
préparent un défunt
à sa renaissance en vivifiant
le petit poisson Inet qui
véhiculera l'âme du mort.
Schiste émaillé
XVIIIe dynastie
Musée du Louvre

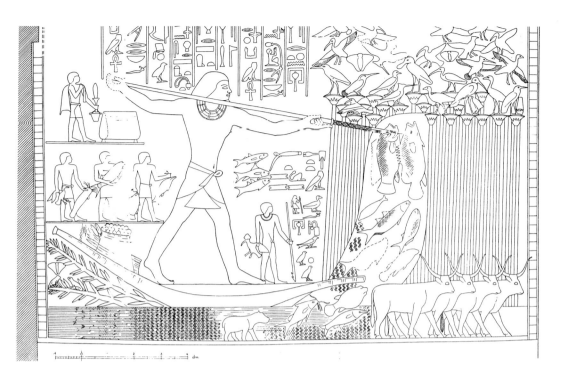

Pêche miraculeuse
Les deux poissons inet
et abdjou, à peine
différenciables, sont
capturés par le défunt
qui prend ainsi possession
de son «âme d'hier
et de celle de demain».
Tombe à Sakkara
Ve dynastie

LES SCÈNES DE PÊCHE

On sait déjà que, dans les tableaux figurant
aux murs des chapelles, dès l'Ancien Empire, on
peut voir une barque de roseaux ou de papyrus
évoquant la nacelle primitive sur laquelle le
défunt, en équilibre, se livre à une chasse et à
une pêche assez irréelles. Devant la proue de
l'embarcation, une portion de l'eau est comme
soulevée du niveau du fleuve pour laisser voir les
deux poissons, la *tilapia* et le *lates*, transpercés au
moyen d'une pique tenue par le défunt. Ainsi
s'assure-t-il de la pérennité de son ancienne
enveloppe terrestre, symbolisée par le *lates* et
prend-il possession de la *tilapia*, le petit poisson
qui assure son devenir : les deux bornes entre
lesquelles il cheminera vers l'éternité. La forme
légèrement ballonnée de la *tilapia* contraste
parfois avec la masse plus allongée du *lates*.

Lorsque l'on arrive aux murs des tombes thébaines du Nouvel Empire, les deux poissons ne demeurent plus que très rarement différenciés, bien que leur signification propre subsiste clairement. Trop longtemps cette scène a été interprétée comme le délassement souhaité par le défunt pour occuper en famille ses loisirs d'outre tombe. Cette explication n'est plus valable, ne serait-ce que par l'irréalité de la représentation où l'homme est campé sur une barque trop petite, escorté des siens en costume de fête. On constate, en effet, que son épouse, habillée de ses plus luxueux atours, est parée de bijoux ne convenant pas à une scène de sport en plein air. Deux fois représenté sur une barque, le

Ci-contre
Détail de la pêche mystique de Menenna
Les deux poissons ne sont différenciés que par d'infimes détails.

Page suivante
Chasse et pêche mystiques de Menenna
Cette scène classique est répétée, enrichie de quelques détails, depuis l'Ancien Empire jusqu'à la Basse Époque. La plus harmonieuse orne le caveau de Menenna. Depuis plus d'un siècle elle a été interprétée comme un «divertissement» du défunt. En réalité, il s'agit des efforts du trépassé pour récupérer son «âme d'hier et de demain».
Tombe de Menenna
XVIIIe dynastie
Thèbes-Ouest

seigneur apparaît en pêcheur, continuant à sortir hors de l'eau les deux poissons sacrés. De l'autre côté, il est figuré en chasseur utilisant un bois de jet (et non pas un boomerang), afin de tordre le cou à des canards sauvages des marécages, symboles des démons susceptibles de l'agresser pendant cette action rituelle, nécessaire au bon déroulement de son voyage entre la mort et la survie, sur son chemin vers l'éternelle lumière du soleil.

Le refuge de l'âme

Cette composition si connue, autant qu'essentielle, devient alors à la fois le passeport et le garant incontesté du juste pour gagner sa félicité. Elle connaît des variantes propres à

Nouvelle scène de pêche
Une variante apparaît : le défunt, galant homme, attrape avec une double ligne les deux poissons destinés à son épouse, et deux autres pour lui-même. La scène est située à la période d'arrivée de l'Inondation, indiquée par la vigne prête aux vendanges. Tombe thébaine XIXᵉ dynastie – Thèbes-Ouest

l'imagination fleurie des Égyptiens, dont la version la plus originale est bien la scène où le défunt, assis près de son épouse, pêche, à l'aide d'une double ligne, deux poissons analogues (des *inet*), qu'il destine galamment en premier à sa femme, en lançant la double ligne et sa prise par-dessus son épaule. Puis il utilise le même système pour s'assurer une pêche analogue. Cette scène est complétée par la présence du bassin, en forme de T, du débarcadère qui accueille, au Jour de l'An, les eaux nouvelles de la régénération. On remarque, tout près, l'image de la vigne, lourde de grappes, mûrissant au début de l'Inondation et qui demeure le symbole glorieux d'Osiris renaissant.

Les deux petites *inet*, attachées à la même ligne, seront bien plus tard conservées pour exprimer la même idée de préparation aux transformations

Nageuse et inet
Cette scène bucolique doit réellement représenter une défunte, nageant dans les «eaux primordiales» où le trépas l'a replongée. Pour atteindre l'éternité, elle doit récupérer la petite inet. Étude d'artiste XVIIIe dynastie

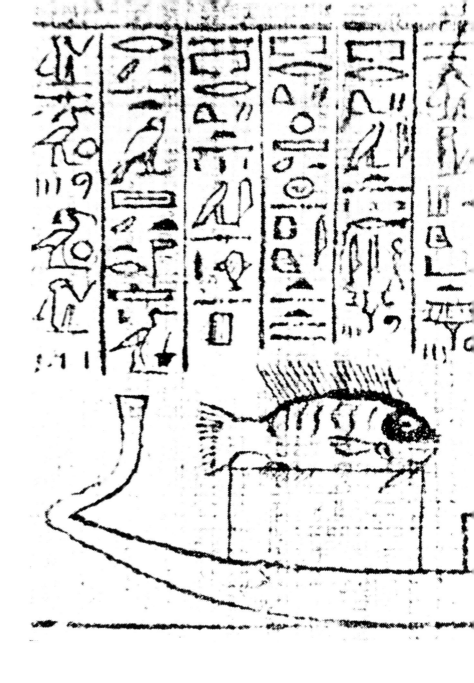

fondée sur l'action terrestre du sujet. Elles deviendront, toujours attachées à la même ligne, le deuxième signe du zodiaque égyptien, illustrant les couvercles des sarcophages gréco-romains d'Égypte, où se développe la théorie des autres symboles évoquant les transformations du défunt (cf. chap. I).

Ces deux poissons, toujours retenus par la même ligne, constituent aussi le deuxième signe du grand zodiaque qui entoure l'impressionnante image du Christ en Majesté dominant le narthex de la basilique Sainte-Madeleine de Vézelay, zodiaque calqué sur les symboles tardifs des douze mois du calendrier égyptien (cf. chap XIV).

La renaissance de l'âme
Thot, maître du calendrier, ramène à la vie éternelle l'âme d'un défunt, représenté sous la forme du poisson inet.
Papyrus mythologique fin Nouvel Empire
Musée du Caire

Le poisson du christianisme

Les fouilles des *kellia,* ces cellules de moines installées dans le désert du sud-est d'Alexandrie au début de notre ère, ont livré des traces du poisson, signe de la nouvelle foi et du Christ Sauveur. Un des exemples de l'image, dessinée par un moine sur le mur de sa cellule, est maintenant conservé au Musée du Louvre (Département des Antiquités égyptiennes, section copte). On peut y distinguer très visiblement le poisson dominé par la croix.

Ce poisson est, ainsi, à l'origine du mot *ichthus,* le monogramme emblème des premiers chrétiens d'Égypte. Il signifie « Jésus-Christ, fils du Dieu Sauveur » : *Iesous Christos Theou Yios Soter.*

Excursus

Le souvenir d'usages et de croyances des temps pharaoniques subsiste encore en Égypte moderne dans les régions les plus reculées.
Au sud d'Assouan, dans cette belle Nubie, maintenant submergée par les eaux du lac Nasser, jadis bien éloignée de la métropole, j'ai pu constater le même phénomène de continuité des croyances.

Je cite un exemple à propos du poisson *inet,* la *tilapia,* dans laquelle l'âme du défunt trouvait refuge. C'était pendant les travaux de sauvegarde des temples menacés, noyés durant de longs mois dans les eaux retenues par le premier barrage d'Assouan. En revanche, pendant les mois d'été lorsque l'on ouvrait les anciennes vannes, le sanctuaire voué au dieu nubien Mandoulis à Kalabsha, était dégagé des eaux du Nil.

Nous étions affairés non loin du grand puits-nilomètre, aménagé dans le vaste couloir qui ceinturait le temple.

Le Service des Antiquités d'Égypte avait aimablement répondu à notre désir de bénéficier de la présence d'un médecin pendant cette mission d'été où des accidents au cours des travaux et des morsures de serpents étaient redoutés.

Le sort nous fut favorable : aucun incident ne se produisit et le médecin s'ennuyait fort. Aussi, s'était-il décidé à pêcher dans les très hautes eaux du puits sacré afin de se procurer des poissons *inet* à la chair si succulente. Il n'avait pas compté avec nos ouvriers nubiens, lesquels, s'apercevant du manège du docteur, se précipitèrent vers lui en hurlant littéralement ces mots qui demeurent encore vivants dans ma mémoire: « Arrête !! tu es fou, tu ne vas pas manger nos ancêtres ! »

Ce que deviendra le petit poisson Inet.
Graffito d'une cellule de moine
Musée du Louvre

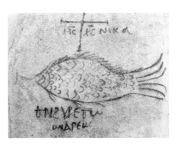

V

Le jeu de l'oie
« renouvelé des grecs »

L'oie du Nil

Vous avez bien dit : « le jeu de l'oie renouvelé des Grecs ». Eh bien ! Il faut encore remonter dans le temps plusieurs millénaires sur les rives du Nil, si vous désirez connaître son origine, car il s'agit réellement d'un jeu typiquement égyptien, dont le but évident est de permettre à l'oie d'Amon (la *chenalopex,* dont le vol traverse l'Afrique du Caire jusqu'au Cap) de libérer le soleil des ténèbres.

L'oie d'Amon
La chenalopex, ou l'oie du Nil, remonte, dans son vol, le cours du fleuve jusqu'aux sources d'où Amon est issu. Mais il faut aussi penser au Gand Jars de la légende qui a caqueté le monde.
Bois stuqué et bronze
Fin du nouvel empire
Musée du Louvre

L'origine du jeu

Il semble que ce jeu soit apparu, déjà constitué, avant la période historique de la première dynastie, lorsque l'écriture hiéroglyphique surgissait de ses balbutiements.

Il existe encore quelques exemplaires du support de ce jeu qui remontent à la première dynastie et dont les deux spécimens les mieux conservés se trouvent, l'un au Musée de Leyde, l'autre au Musée du Louvre. Celui du Louvre a été taillé dans un bloc de calcite. Il se présente comme un plateau circulaire d'environ 0,60 m de diamètre, muni d'un pied évasé, constituant ainsi une sorte de petit guéridon bas.

Au cours des dynasties suivantes, à l'Ancien Empire, on verra parfois apparaître, sur les murs des chapelles funéraires de Guizé ou de Sakkara, des scènes évoquant le jeu de l'oie, où deux hommes sont figurés assis par terre de chaque côté du guéridon. Pour la vie courante, ces objets pouvaient être fabriqués en terre cuite, mais lorsqu'il s'agissait de les faire figurer dans le mobilier funéraire, ils étaient taillés dans des matériaux plus durables, c'est-à-dire la pierre.

De quoi ces jeux étaient-ils constitués ? D'un support stable et de pions, complétés par un troisième groupe d'éléments indispensables à la marche de l'opération : des osselets ou encore de petites baguettes bifaces qui commandaient l'avancée ou le recul des pions ou qui imposaient même une paralysie provisoire.

Le jeu de l'oie
Ce plateau muni d'un pied faisant corps avec lui représente l'enroulement du long corps bénéfique du serpent «méhèn». À l'extérieur apparaît la tête de l'oie prête à «cracher» le soleil. Au centre le serpent tire sa langue rouge dardée contre les éventuels ennemis de l'astre diurne.
Albâtre – 1ère dynastie
Musée du Louvre

Le serpent

Au premier abord, le décor général du plateau évoque réellement le Jeu de l'Oie qui fit la joie de nos ancêtres: il s'agit des enroulements successifs du corps d'un très long et mince serpent, dont le point de départ, au centre, est matérialisé par la tête de l'ophidien aux yeux grand ouverts et qui doit fixer les joueurs en leur tirant la langue, geste magique bien connu de prophylaxie. Les replis du serpent sont ornés d'une série ininterrompue de petites cases, parfois décorées par quelques vignettes (peintes?), illustrant le déroulement d'une aventure ponctuée de chances et de déboires, dont la plus paralysante, pour le cheminement de celui qui s'y risque, est le puits. Enfin, à l'issue du parcours, au niveau de la queue du reptile, à l'extérieur du dernier repli, apparaît une tête d'oie au bec très reconnaissable.

Les serpents sont les plus nombreux parmi les rampants sur cette terre chaude d'Égypte. On les rencontre naturellement dans la grammaire des décors symboliques. Tous n'ont pas des morsures mortelles, comme le cobra, si dangereusement majestueux qu'il en était devenu le défenseur de la couronne. Au sommet de la nocivité se situe le céraste ou vipère cornue, à la morsure de laquelle on ne pouvait encore échapper, il y a une cinquantaine d'années.

Page ci-contre
La barque du soleil nocturne
La barque du soleil (figurée au registre supérieur), qui, pendant la nuit, parcourt les douze heures dans l'autre monde. L'astre nocturne présente un corps humain à tête de bélier. Il est protégé par les replis bénéfiques du Mehèn. Au registre inférieur, le démoniaque serpent Apophis est tenu en respect par Atoum.
Tombe de Séthi Ier,
XIXe dynastie
Vallée des Rois, Thèbes-Ouest

Il n'est évidemment pas question ici de ce petit invertébré de la taille d'une volumineuse limace, gris verdâtre, doté d'une tête ornée d'une sorte de diadème à petites aspérités pointues. Il s'agit, dans le cas de ce jeu, d'un serpent mythique, le *mehen*, immense boyau utilisé, entre autres, pour suggérer les lieux des éventuelles déambulations infligées aux défunts, lorsqu'ils doivent entreprendre leur voyage vers une éternité ardemment désirée.

Détail de la tête de l'oie
Sur un des côtés du corps circulaire du serpent mehèn, apparaît la tête de l'oie d'où sortira le soleil pour celui qui aura gagné le jeu. Musée du Louvre

Dans les tombes de la Vallée des Rois, le voyage nocturne du soleil évoque ce dernier sur sa barque, protégé par les méandres du *mehen* qui entoure son image humaine à tête de bélier.

Cette éternité devait être traduite, pour le mort en transformation, par sa fusion avec l'éblouissante lumière. Lorsque les multiples obstacles rencontrés avaient été surmontés, après que les douze portes, ou les cavernes de la nuit (auxquelles Dante fit plus tard allusion), avaient été franchies, le miracle s'accomplissait : l'oie solaire pouvait mettre au monde son oison, l'astre rajeuni.

L'oie solaire et la Création

Ainsi qu'il en était pour exprimer une évidence : la multiplicité des approches était un des artifices habituels de la symbolique égyptienne.

Le grand jars pouvait aussi parfois « caqueter » la Création, mais l'oie, surtout, (dans ce pays où les gallinacés n'étaient pas élevés), sera promise à couver l'œuf de la Création. Aussi n'est-on pas étonné de rencontrer – ornant le couvercle d'un pot à onguents du trésor de Toutânkhamon – l'image en relief d'un oison qui pépie, entouré des œufs de la couvée : par magie sympathique, le réveil du petit roi était assuré. L'oison solaire, attaché au prince royal, est si évident que son image est parfois figurée survolant la représentation du roi enfant, alors que celle du souverain adulte est protégée par le vautour.

La Grande Nourrice royale tenant son nourrisson
La Nourrice royale tient sur ses genoux le futur Aménophis II. Pour souligner la jeunesse du prince, ce dernier est dominé non par l'oiseau à tête de vautour planant au-dessus des pharaons, mais par le vautour à tête de l'oison divin.
Tombe thébaine
XVIIIe dynastie
Thèbes-Ouest

Page ci-contre
Boucle d'oreille de Toutânkhamon
Ce bijou du petit prince devrait comprendre l'image d'un vautour, symbole du roi. À le regarder de plus près, on voit que la tête du rapace a été remplacée par celle d'un oison !
Or, verre bleu transparent
XVIIIe dynastie
Musée du Caire

Sur terre, en utilisant ce jeu, le vainqueur obtiendra succès et bénéfice matériel. Lorsqu'il passera dans le royaume d'Osiris, il devra compter, dans son équipement funéraire, cet outil magique fort utile pour l'aider à gagner sa place auprès du démiurge… mais nous y reviendrons.

L'importance des accessoires

Ce jeu, sans doute le plus populaire sur les rives du Nil, franchira les millénaires. Ses pions furent personnalisés, afin de différencier les deux participants, soit qu'ils aient été marqués au nom

Pion de jeu «maison»
Le jeu de senet, déposé
parmi le mobilier funéraire,
devait servir au défunt
à gagner le passage dans
l'autre monde malgré
les démons adverses.
Pour évoquer ces derniers,
rien de mieux que
de façonner leurs pions
à l'image d'une maison
au toit étranger à ceux
de l'Egypte.
Ivoire – Ière dynastie
Musée du Louvre

**Pion de jeu à l'image
d'un lion**
Avec une telle image,
son propriétaire pouvait
espérer gagner la partie.
Ivoire – Ière dynastie
Musée du Louvre

de chacun d'eux, ou encore qu'ils aient été modelés sous différents aspects. Son propriétaire utilisera, par exemple, un lion couché en sphinx. Son camarade de jeu, pour se démarquer, prendra la place de l'étranger qui va s'opposer à lui.

Au Musée du Louvre existe un petit pion de jeu remontant à la Ière dynastie. Il est à l'image d'une maison au toit à double pente, évocateur d'une région plus humide que celle de l'Égypte et donc aux pluies fréquentes : le futur Liban, par exemple.

Bien plus tard, au Nouvel Empire, on a pu constater que de hauts personnages possédaient des pions à doubles faces circulaires, en ivoire, gravés au nom de leur titulaire. Ainsi connaît-on de petits pions, formés d'un disque de terre cuite émaillée polychrome, servant de socle à des images qui évoquent un animal bénéfique – dont le guépard – et d'autres disques supportant un prisonnier asiatique ou africain, les mains liées derrière le dos, ce qui paralysait d'avance l'attitude du sujet.

Le symbole du guépard

Au cours d'une étude sur le bestiaire égyptien, il m'est vite apparu qu'aucun animal étranger à l'Égypte n'a jamais été utilisé pour traduire un symbole vraiment bénéfique – à l'exception du guépard. Ce félin au long cou, aux griffes non rétractiles, aux oreilles rondes et marqué sous les yeux de grandes « larmes » tracées par le poil noir, était, semble-t-il, connu très tôt dans l'histoire de l'Égypte. Il est apparu, à l'aube des temps historiques, sur les palettes rituelles (et au Moyen Empire sur les « ivoires magiques »), sous l'allure d'un quadrupède au cou démesurément long, protégeant une cupule centrale, destinée à recevoir un produit précieux. Des allusions au guépard entraient dans le décor magique d'objets, la plupart du temps en rapport avec la royauté : la ceinture de hanche, provenant du trésor princier de Dahchour (Moyen Empire), en est un magnifique exemple. C'était un bijou prophylactique en or, dont l'efficacité était assurée par une série de têtes de guépard affrontées (animal trop souvent baptisé « léopard »!). Par ailleurs, au Nouvel Empire, la tête de guépard transmettait sa force protectrice au pagne d'apparat du souverain.

Ensemble de pions de jeu
Toutes les formes bénéfiques étaient permises. Souvent, les pions pouvaient épouser une forme circulaire ou rappelant le profil d'une poulie. Les plus soignés étaient inscrits au nom de leur propriétaire. Ivoire – 1ère dynastie Musée du Louvre

Au vrai, ces guépards, chasseurs à la course extrêmement rapide, provenaient du légendaire pays de Pount, la « Terre du Dieu » (située entre le Soudan et l'Éthiopie). On n'est donc pas surpris de constater que la reine Hatshepsout, grâce à l'expédition qu'elle avait organisée au Nouvel Empire, vers ce pays merveilleux, n'ait pas manqué de faire ramener du pays d'où Amon était issu, un couple de guépards « qui ne la quittaient jamais ». Ces animaux étaient dignes de recevoir droit de cité dans la ménagerie royale. De nos jours, on peut admirer, dans une vitrine du Musée de Bâle, une admirable petite tête de guépard en jaspe rouge, pion royal aux nom et titre de la reine Hatshepsout. Avec un équipement de cette qualité, la souveraine devait être assurée de gagner au jeu aussi vite que glorieusement.

Les multiples variantes du jeu de l'oie

Dans le cours de ce même Nouvel Empire, le jeu de l'oie connut plusieurs variantes et simplifications. Abandonnant parfois l'aspect initial du serpent, d'où sa forme était tirée, on peut suivre son itinéraire jusqu'en Angleterre, pour le retrouver sous la forme du « Jeu du serpent et de l'échelle ». Ailleurs, il fut adopté sans presque aucune transformation, mais la tête du serpent fut supplantée par une image de l'oie. Le petit guéridon présente alors l'aspect plus réduit d'une boîte rectangulaire à deux faces, offrant d'un côté une série de trente cases. L'une d'elles portait trois signes d'eau, évoquant le célèbre puits du jeu de l'oie. Sur l'autre face de la boîte,

Jeu de senet
Réduction du jeu de l'oie,
le jeu de senet évoque
le parcours du joueur suivant
trente petites cases.
C'était un moyen magique
de gagner son chemin dans
l'au-delà que d'utiliser ce
senet, dont le nom signifie
«passage».
Trésor de Toutânkhamon
XVIIIe dynastie
Musée du Caire

la plupart du temps en bois, un jeu de cases encore moins nombreuses évoquait la disposition du jeu de la marelle qui faisait la joie des petits écoliers de l'école primaire.

Réduit aux trente cases, ce jeu devint le *senet*, terme tiré d'un mot en rapport avec un **passage**, appellation bien méritée, puisque au monde nocturne où les trépassés sont entraînés, ce jeu est utilisé pour faciliter le passage dans les méandres dont il fallait sortir. Les rares textes, malheureusement incomplets, y faisant allusion, attestent son emploi également chthonien.

Nofretari, André Malraux et le senet

À ce propos, lorsque j'eus le plaisir d'introduire André Malraux dans la plus belle tombe de la Vallée des Reines, celle de la reine Nofretari, Grande Épouse Royale de Ramsès II, le ministre de la Culture du général de Gaulle, tomba littéralement en arrêt devant une des magnifiques peintures du caveau, montrant la reine assise sous une tonnelle faite de tiges de papyrus, et affairée à jouer du *senet*. « Mais, elle joue sans partenaire ! » s'exclama Malraux, « - Oui, mon-

Nofretari jouant au senet
Cette Grande Épouse Royale
favorite de Ramsès II est
représentée dans les fourrés
de papyrus bordant l'océan
primordial. En effet, cet
environnement est évoqué
par la tente qui l'abrite, faite
de tiges de papyrus.
Peinture, tombe de Nofretari
XIXᵉ dynastie
Vallée des Reines
(Thèbes-Ouest)

sieur le Ministre », lui répondis-je, « elle réside maintenant dans le monde invisible des désincarnés. La voici retournée dans les eaux primordiales, suggérées par l'abri de papyrus, sous lequel elle est assise. Pour progresser dans son cheminement, il lui faut vaincre des adversaires invisibles. Vous pouvez la contempler, ici, en pleine action. »

Très frappé par cette scène à la signification inattendue, dont la symbolique était teintée d'une intense poésie, cet homme profondément mystique ne pouvait se détacher de l'image qui l'avait ému, et à laquelle il faisait encore allusion peu de temps avant sa disparition.

De la marelle aux rites de la Pentecôte

Pendant plusieurs millénaires, le jeu de l'oie connut une fortune inégalée. Transformé, commenté, exploité dans toutes les couches de la société, il changea parfois d'aspect jusqu'à se retrouver en Europe dans les limites, tracées sur le sol, où l'enfant doit avancer à cloche-pied, afin de pousser un palet de la zone « Enfer » à celle de « Paradis » (jeu de la marelle). Mais c'est toujours l'apparition de la lumière et du soleil que le joueur cherche à atteindre.

Sur le plan mystique, les efforts des prêtres devaient aussi aboutir au triomphe du soleil victorieux lorsque le chapitre des chanoines, le jour de la Pentecôte, jouait rituellement à la paume, sur le labyrinthe des cathédrales.

Davantage reconnaissable encore est l'image du jeu de l'oie, en relief qui orne le sol du chapitre de la cathédrale de Bayeux.

La forme initiale du long serpent *mehen* ne fut jamais écartée du jeu circulaire, subsistant encore de nos jours sous le nom de Jeu de l'oie, de l'oie du Nil, et qui porte en lui toute l'histoire du parcours des Égyptiens pour gagner l'illumination solaire.

VI
Saint Georges
et saint Christophe

Ces personnages symboliques et bénéfiques qui nous viennent d'Égypte et dont même les occupants (Romains surtout) avaient vénéré les images, ont été accueillis en Europe parce qu'ils étaient accessibles à notre raison, d'autant que leurs légendes avaient été progressivement aménagées au cours de leur transmission, les identifiant à des héros locaux, ce qui les rendait plus familiers.

Cependant, dans la majorité des cas, nous n'aurions sans doute pas pu comprendre leur sens profond, sans saisir les plus importantes figures de leur évolution. Je voudrais en présenter deux cas très caractéristiques.

SAINT GEORGES

Du roi harponneur à l'Horus légionnaire

Quoi de plus simple, semble-t-il, que d'interpréter l'image de saint Georges sur son cheval, transperçant de sa lance le dragon ? En effet, de l'Ethiopie jusqu'à la Russie l'image est constante.

Pourtant, les spécialistes s'accordent à reconnaître l'extrême exagération qui colore les légendes attachées à la geste de saint Georges, exprimées d'abord en Orient, pour se répandre ensuite, et dans toutes les directions, en Occident jusqu'à devenir le vénéré saint patron de l'Angleterre!

La légende classique

Certains situent la légende de Georges dans le monde grec, près de la ville de Silène, en Libye, où se trouvait un monstre à qui la population devait livrer chaque jour une chèvre. Puis ses victimes furent les jeunes gens et les jeunes filles du pays et même la fille du roi, que Georges rencontra lorsqu'elle se rendait au sacrifice vers le dragon. Monté sur son cheval, il transperça alors le monstre de sa lance. Puis, il recommanda à la princesse d'attacher sa ceinture au cou de la bête qui se laissa, alors, diriger aussi docilement qu'un chien.

D'autres firent naître notre Georges en Cappadoce vers 303 de notre ère. Noble et fortuné, il fut un tribun héroïque de l'armée impériale, détruisant les idoles. Arrêté sous Dioclétien, il subit trois martyres pendant sept années et fut enterré en Lydie de Palestine, dans une basilique consacrée à l'endroit où, de nos jours, se trouve Tel-Aviv.

Par ce premier exemple, le lecteur pourra saisir facilement en quoi le rôle d'intermédiaires, joué par les Romains, fut primordial dans la transmission et la transformation des images et des thèmes originels.

Le roi, Horus harponneur

Ainsi, en remontant dans le temps, il faut retrouver en Égypte, à la XVIIIe dynastie (milieu du XIVe siècle avant J.-C.), dans le mobilier funéraire du petit roi Toutânkhamon,

Toutânkhamon harponneur
Le jeune roi est représenté un harpon à la main, afin de transpercer l'hippopotame du Nil. Sa nacelle archaïque, faite de tiges de papyrus, est un simple flotteur, rappelant l'embarcation des premiers temps.
Trésor de Toutânkhamon, XVIIIe dynastie – Musée du Caire

l'élégante figurine en bois doré du jeune souverain, debout sur une légère nacelle, occupé à lancer un grand harpon. Ce geste millénaire, répété sur les rives du Nil, rappelle l'attitude archaïque du chef maîtrisant le crocodile, ou bien l'hippopotame, au fond du fleuve.

Beaucoup plus tard, (plus de treize siècles après !) sur un des murs du temple ptolémaïque d'Edfou, dédié à Horus le faucon solaire, on trouve le reflet de cette composition magique. C'est alors Horus, à la taille humaine héroïque et à la tête de faucon, campé sur le pont de son bateau fluvial qui transperce de son long harpon l'hippopotame qu'il vient ainsi enchaîner au fond des eaux. Les proportions réduites de la bête, au regard de celle du harponneur, soulignent la puissance de ce dernier. C'est bien Horus, vainqueur de l'animal maléfique, protecteur par excellence, éternisant la destruction des nuisances.

L'interprétation du thème égyptien

Les Romains reprirent le thème et l'aménagèrent en une image composite, créant ainsi un compromis accessible aux occupants comme aux occupés. Le monstre à détruire put aussi bien être le crocodile de forte taille et le vainqueur gardant sa forme humaine, - seule sa tête de faucon rappelait son identité primitive de forme divine, ayant remplacé celle du souverain. Puis, pour dominer son adversaire, Horus ne se tint plus sur le pont de son bateau ; mais, comme un légionnaire romain, il fut représenté chevauchant sa monture, ce qu'un Égyptien n'aurait jamais fait. Nous avons la

Capture de l'hippopotame (détail)
L'incessante lutte entre Horus et Seth (l'hippopotame) anime un des chapitres du mythe osirien. Pour rendre le malin encore moins nocif, les pattes de l'animal ont été réduites au maximum. Néanmoins, Horus et ses compagnons le harponnent et la divine mère, Isis, est occupée à l'enchaîner.
Temple d'Edfou
Époque gréco-romaine

Saint Georges
Horus s'est transformé
en saint Georges classique,
ayant acquis figure humaine
et tuant le dragon, suivant
l'imagination des artistes.
Mosaïque incrustée sur bois
XIVe siècle
Byzance

chance de conserver au Musée du Louvre l'image copte de **transition,** représentant un cavalier romain à tête de faucon qui tue le démon, incarné par un crocodile. Jusqu'en Éthiopie, l'iconographie de saint Sisinius prolongea le geste de l'Horus solaire détruisant le Malin.

On retrouve alors ce thème millénaire véhiculé de Byzance jusqu'en Russie, puis passé en Europe occidentale où, partout alors, le monstre nilotique fut remplacé par un dragon.

Horus légionnaire
Une providentielle image de transition nous est fournie, à l'époque romaine, où «Horus le sauveur» apparaît vêtu en légionnaire romain et monté à cheval. Il est cependant reconnaissable par sa tête de faucon. L'hippopotame est remplacé par le crocodile nilotique. Relief – Début de l'époque copte – Musée du Louvre

SAINT CHRISTOPHE

Anubis et le patron des voyageurs

Est-il aussi aisé de déceler l'origine de saint Christophe ? Non point ! Assurément et à priori, cette origine ne saute pas d'elle-même aux yeux.

Les légendes de saint Christophe

Les légendes qui s'attachent à saint Christophe, sont également multiples et étonnantes. Certaines le font naître dans le monde grec, près de Silène, ville de Libye. En revanche, *La Légende dorée* présente saint Christophe comme un bon géant, haut de douze coudées, issu de la terre de Canaan.

Il entre d'abord au service du roi le plus puissant du monde. Ayant entendu dire, par le roi lui-même, que le diable était encore plus puissant que lui, Christophe se met à suivre le diable et fait route avec lui dans le désert. Soudain, une croix surgit qui fait fuir le diable. Rattrapé par Christophe, le diable lui apprend que le Christ est encore plus puissant que lui-même. Christophe se met donc à la recherche du Christ et rencontre un ermite qui le baptise et lui recommande de jeûner – ce qu'il n'arrive pas à supporter. Alors l'ermite conseille au bon géant de réciter des prières… mais il ne fait que tout embrouiller. Pour finir, l'ermite l'installe au bord d'un fleuve rapide où, chaque année, beaucoup de voyageurs se noient. Le bon Christophe prend alors les voyageurs sur son dos et, guidé de son bâton, il franchit le torrent.

Un jour, il est appelé par un enfant. Sorti de son refuge, il met l'enfant sur son épaule et commence à traverser le fleuve. Arrivé au milieu de l'eau, l'enfant devient si lourd, que le bon géant, courbé en deux, avance à grand-peine. Ayant enfin atteint l'autre rive, il demande à l'enfant qui il est. « Tu m'as chargé d'un poids si lourd, comme si j'avais porté le monde entier sur mes épaules, lui dit-il. - Ne t'étonne pas, Christophe, répond l'enfant, car tu as (reçu) sur tes épaules non seulement le monde entier, mais celui qui a créé le monde : sache, que je suis Jésus le Christ. » L'enfant disparut. Christophe, qui avait planté là son bâton dans le sable, vit qu'il était couvert de feuilles et de fleurs.

Christophe, chrétien barbare, dont la figure évoque celle d'Hercule, était né pour servir. Entré dans les armées romaines, il refusa de renier sa foi et mourut dans les supplices à Samos, en Lydie.

Anubis veille sur la momie
Pendant longtemps, en raison de l'attitude de ce génie à tête de chien (et non de chacal!), Anubis a été considéré comme ayant collaboré avec Isis à la momification d'Osiris. Mais il semble qu'il n'en soit rien. Ce curieux personnage, placé près de la momie, paraît toucher son cœur ou encore guider le mort vers le jugement de la balance. A la Basse Époque, il fut interprété comme étant le guide des morts. Peinture d'une tombe à Deir el-Médine XIXe dynastie

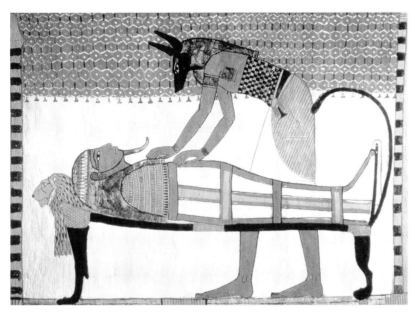

Le prototype de saint Christophe

En Égypte, le prototype du héros de l'histoire est Anubis (en égyptien *Inpou*), qui, lors des rites funéraires apparaît près d'Isis aux côtés de la momie d'Osiris, penché sur son cœur. Près de la balance du jugement, il joue un rôle partagé avec Thot, mesurant l'exactitude du peson. La presque constante présence d'Anubis auprès de la momie, préparée pour le grand voyage, a fait déduire beaucoup trop vite que cette silhouette humaine, à la tête d'un chien noir (et non pas d'un chacal), participait aux soins de la momification, après avoir collaboré avec la veuve d'Osiris au remem-

brement du corps de son époux, découpé par Seth, le violent. Cependant, aucun texte ne confirme ce rôle. Lorsque Anubis est mentionné, il est indiqué qu'il est *imy-out*, c'est-à-dire qu'on l'imagine dans une sorte de nébride par allusion aux rites de passage dans une enveloppe (*out*) en peau animale. On le localise comme étant *khenty seh neter*, donc « à la tête du pavillon divin », ou encore comme *tepy djou-ef*, comprendre: « sur sa montagne » (ou « sur son éminence »). Dans quelques cas seulement, Anubis a été cité comme étant dans le *per nefer*, terme qui désigne la « maison de la momification (ou «maison de la vitalité»?) et pouvant alors assister Isis.

Anubis (inpou), le guide et la pesée
Non seulement Anubis vérifie le peson de la balance du jugement du mort, mais il paraît avoir guidé celui-ci vers son épreuve.
Papyrus funéraire fin Nouvel Empire
Musée du Caire

La chapelle de Deir el-Bahari

Le monument le plus important pour saisir l'identité d'Anubis – et auquel il semble que l'on n'ait pas prêté l'attention qu'il mérite – est la grande chapelle spécialement dédiée à cet être mystérieux, à Deir el-Bahari. Je pense avoir démontré, dans mon étude sur la reine Hatshepsout, l'initiative que cette grande souveraine avait prise en consacrant, au nord de son temple jubilaire, les locaux spécialement destinés au déroulement des avatars traversés avant sa résurrection et traduits par l'image de sa « projection » en être humain à tête de chien noir.

En bref, ces lieux mystérieux se référaient à la période de mutation de la défunte dans les ténèbres avant qu'elle n'atteigne son éternité solaire.

Anubis – Horus

Au reste, dans le caveau de Toutânkhamon une inscription sur le mur de la salle Est, réservée au « réveil » du mort et mentionnant le roi « comparé à son aspect d'Horus », en est une confirmation. De surcroît, le fait que la statue du chien noir, trouvée dans la tombe, ait le cou protégé, comme toujours, du long foulard de lin, prouve qu'elle représente le défunt. Cette statue de chien noir, couché sur un socle d'une hauteur démesurée et répondant au titre « (il est) sur sa montagne », remplace la porte de communication, dans la tombe de Toutânkhamon, entre la salle du Nord et celle de l'Est, vers

Découverte d'Anubis chez Toutânkhamon
Cette magnifique statue, grandeur nature, du chien noir est traitée pour la faire bénéficier d'un certain confort dans les ténèbres de son caveau : les prêtres l'avaient revêtue d'un épais voile de lin blanc.
Ce chef-d'œuvre fut placé dans la salle du tombeau, orientée vers le nord, en compagnie des vases canopes, des chaouabtiou et des modèles de bateaux.
Trésor de Toutânkhamon
XVIIIe dynastie
Musée du Caire

laquelle le mutant doit se diriger. Elle souligne qu'il s'agit d'un rite de passage.

Cette émanation d'un souverain décédé, en transit pourrait-on dire, est même indiquée par le nom *Inpou* qui s'applique toujours à un héritier royal à l'instant où il va naître, ou fait encore allusion à un très jeune prince non encore couronné.

Le défunt royal Anubis

Trois caveaux, au moins, conservés dans la Vallée des Reines, témoignent de cette identification d'une reine défunte en mutation, transformée en Anubis. Dans la salle d'entrée de la tombe (n° 40) d'une reine anonyme, figure, aux deux murs latéraux, le chien d'Anubis sur le même socle: il représente, à deux reprises, l'image de la trépassée.

Dans la tombe de Nofretari, la Grande Epouse Royale de Ramsès II, à la base de l'escalier qui conduit vers la salle de la renaissance, on peut admirer les deux images du chien noir couché sur son pylone, peintes sur les murs latéraux.

Enfin, le tableau le plus parlant, si je puis dire, se trouve sur un mur de la salle latérale supérieure du caveau de Bent-Anat, fille aînée et épouse de Ramsès II (tombe n° 71). La reine, sous la forme du chien noir couché sur son pylone, est l'objet de la cérémonie de «l'ouverture de la bouche et des yeux». L'assimilation de la princesse à l'image d'Anubis ne fait plus aucun doute.

Le défunt civil en tant qu'Anubis

Bien plus tard, et définitivement à l'époque romaine, si sensible aux mystères des transformations du mort, le rôle de guide est souvent confondu avec cette projection du désincarné qui ne quittait pas encore les ténèbres. Il présentait un corps humain dominé par la tête du chien noir, semblant seulement accueillir et

Anubis et Horemheb
Anubis semble entraîner le pharaon Horemheb dès son entrée dans sa tombe.
Peinture, tombe de Horemheb
XVIIIe dynastie
Vallée des Rois
Thèbes-Ouest

accompagner le défunt, ainsi que l'on peut le constater sur certains suaires décorés. Dans ce dernier cas, Anubis n'est pas réellement un guide. Il est figuré comme arrivant à la fin du voyage lorsque, abandonnant sa forme des ténèbres, il va apparaître en ressuscité.

Les vieux textes égyptiens précisent que, dans la ville de Mendès, le défunt, sous son aspect d'Anubis, prenait possession des souffles solaires de résurrection, ainsi que le souligne le disque solaire, souvent placé derrière l'oreille animale du chien noir.

Ces suaires, remontant à la même époque d'occupation romaine et provenant d'Égypte, témoignent de la profonde et durable connaissance des prêtres égyptiens sur ce sujet. Un des plus beaux exemples de ce type est conservé au Musée du Louvre.

Anubis, ombre du défunt civil

Il semble que ce décor apparaisse presque identique sur de nombreuses versions, sans avoir été, jusqu'à présent, interprété selon son réel message.

Le thème principal est constitué par la figure centrale du défunt debout et le visage vu de face. Il est habillé de blanc à la romaine. Sa momie, et non l'image d'Osiris, est dressée à sa droite, coiffée de la couronne osirienne et tenant dans ses mains les sceptres du dieu. De l'autre côté, on peut admirer Anubis, homme à tête de chien aux chairs noires. Sa tête animale est de profil ; un grand disque solaire apparaît derrière son

Les transformations du trépassé
Le défunt, entouré de l'image de ses deux transformations essentielles: à gauche, sa momie qui rappelle sa forme ancestrale; à droite, sa figuration (à tête de chien noir) est dominée par le soleil, évoquant ses transformations post mortem invisibles, et au centre est placé son portrait de résurrection éternelle.
Toile peinte
Époque romaine
Musée du Louvre

Saint-Christophe à la tête de chien
«Christophoros» qui, visiblement «porte le Christ» est invisiblement porté par lui. Ainsi le rapporte la tradition du vieillard Siméon. (Luc II, 28) Seul traverse la totalité de ses enfers (symbole du chien) celui que porte le Christ. Saint Christophe le Cynocéphale – XVIIe siècle – Musée Byzantin

oreille dressée. Il pose sa main droite sur l'épaule droite de l'image du ressuscité et sa main gauche est placée sur le torse de celui qu'il semble, à la fois, protéger et faire apparaître.

Anubis, le guide, le passeur

Au cours des cérémonies isiaques, adoptées par les occupants romains, on pouvait voir l'empereur conduisant les processions, visage et buste recouverts d'un masque-plastron à tête de chien. Dans ce rôle de guide qui lui fut affecté tardivement, sa tête de chien (ou de cynocéphale) fut remplacée par le visage humain de saint Christophe, le bon passeur.

Ainsi, Anubis, le mutant, conquit-il l'Occident en qualité de protecteur des voyageurs.

Anubis ouvreur des portes
Cette émanation du mort porte au cou les clés qui lui permettront d'ouvrir les douze portes de l'au-delà.
Fragment d'un sarcophage Basse Époque – Vallée des Reines – Thèbes-Ouest

VII
Des mines de turquoise à l'alphabet

**Des roches
aux profondes couleurs**
Paysage insolite
aux successives chaînes
de montagnes qui semblent
placées par l'homme.

Parmi les expéditions organisées par les Égyptiens vers les mines et carrières, celles qui conduisaient les fonctionnaires du souverain dans la presqu'île du Sinaï, concernaient la recherche des minéraux précieux de cuivre et de la turquoise.

Vers le Sinaï

La magnifique et lumineuse pierre bleue, connue dans tout le Proche Orient pour apporter le bonheur, s'appelait *méfekat* (la *farouz* actuelle), cette belle turquoise, que les sites du **Sérabit el-Khadim** et du **Ouadi Maghara** ont livrée depuis presque quatre mille années !

Pour y accéder, l'itinéraire le plus rapide, dès le Moyen Empire, consistait à quitter la côte égyptienne, le long de la mer Rouge, à la hauteur du Fayoum, pour aborder à la presqu'île du Sinaï. Au Nouvel Empire on pouvait, alors, emprunter beaucoup plus au sud, à la hauteur de Thèbes, le long Ouadi Hammamat, entre Nil et mer Rouge, où gisaient des mines de *grauwacke*, la fameuse pierre de *bekhen*, et des mines d'or, pour aboutir enfin au port de Kosseïr. En face, après avoir atteint les rives de la presqu'île, il fallait se diriger vers le centre de l'imposant massif montagneux, où les cimes offrent un spectacle grandiose autant qu'étrange. Des roches aux profondes couleurs et, par endroits, comme incrustées de pierres claires, composent des chaînes aux multiples crêtes qui se succèdent et se superposent à l'horizon. Des chemins rocailleux, empruntés par les Bédouins, permettaient alors l'accès aux lieux d'exploitation.

Sinaï
Chemin rocailleux conduisant aux mines de turquoise de Sérabit el-Khadim.

Une expédition mixte

Assurés de la nature généralement pacifique de la majorité des Bédouins de ces régions précises, les Égyptiens s'étaient organisés pour embaucher sur place la main-d'œuvre locale et experte dans le travail. La composition des expéditions égyptiennes était, en conséquence, constituée, autour du chef des travaux, d'ingénieurs des mines, d'un petit corps de garde, de contremaîtres, de scribes, de comptables, de médecins et de pharmaciens, magiciens-guérisseurs contre les morsures des reptiles, sans oublier un interprète.

Arrivés sur les lieux de travail, chaque année les Égyptiens embauchaient généralement les mêmes ouvriers locaux. La troupe, composée des exploitants égyptiens et d'ouvriers bédouins, formait un ensemble assez homogène qui paraît avoir entretenu des relations de sympathie et de confiance. Le travail se déroulait pendant les mois d'hiver, au climat très supportable pour les hommes, comme pour les précieuses turquoises, dont la manipulation ne devait se faire durant la période chaude.

Le scribe
Image du parfait fonctionnaire, mais aussi du lettré qui peut accompagner la troupe.
Guizé
Musée du Louvre

Le temple de Hathor

Dès que les Égyptiens avaient abordé les lieux d'extraction dans les carrières, ils édifiaient des chapelles qui, à travers les dynasties, furent multipliées, si bien que l'imposant lieu de culte de Sérabit el-Khadim, le temple de la belle et puissante Hathor, maîtresse des carrières, fut continuellement agrandi entre le Moyen Empire et le Nouvel Empire. Il évoque, de loin, l'aspect d'une sinueuse scolopendre, plutôt que celui d'un bâtiment de culte traditionnel, entouré de murs massifs. Des stèles démesurément hautes jalonnent l'enfilade des bâtiments, couvertes d'inscriptions hiéroglyphiques et de reliefs. Les

Entrée d'une mine de turquoise
Sérabit el-Khadim
Sinaï

**Ruines
du temple de Hathor**

piliers supportent des chapiteaux reproduisant le visage humain de la déesse, mais muni d'oreilles de bovidé, en rappel de l'originelle vache Hathor, l'universelle nourricière.

Pendant plus de trois mois, chaque année, dans ces lieux grandioses, mais austères, Bédouins et Égyptiens avaient donc appris à se connaître, à s'apprécier et même assurément à s'entraider, d'où la confiance réciproque qui s'établit entre les deux ethnies. Il en résulta ce que je considère comme une fantastique aventure, qu'il me faut résumer avec un semblant de poésie, pour la rendre moins abstraite. Voici l'histoire.

Une saine curiosité

À la tombée du jour, des groupes
se formaient entre ces hommes qui
prenaient souvent leurs repas
ensemble et, sans doute, parta-
geaient les frugales ressources
locales. Ils s'étaient efforcés de se
comprendre, grâce aux bons
offices de l'interprète, des médecins et surtout des scribes – sans
oublier les comptables ! La curiosité
très ouverte, autant qu'aiguë, de ces
hommes du désert rocailleux était
grande et les inscriptions qui couvraient les murs dédiés à la grande Hathor, de
même que les lignes d'hiéroglyphes sur les hautes
stèles, les intriguaient. Qui était cette « Dame des
Montagnes », que l'on appelait Hathor, devenue
la « Maîtresse de la Turquoise » ? Au début, sa tête
était ornée d'une large perruque se terminant par
deux mèches latérales, enroulées en spirale.

Tête de la grande Hathor
Un des seuls personnages,
en Égypte, dont la tête soit
représentée de face. Les
oreilles de vache rappellent
l'animal sacré de cette force
divine qui préside aussi
aux mines et aux carrières.
Pendentif en or
Fin Nouvel Empire

Tête hathorique
Copie maladroite
d'une figuration égyptienne
d'Hathor, exécutée
par des Bédouins.
Grès – Moyen Empire
Sérabit el-Khadim

Dîner bédouin
Après le travail, Bédouins et Égyptiens partagent leur dîner et conversent amicalement.

Plus tard, cette belle femme portait parfois une coiffure dominée par deux élégantes cornes de vache. Cependant, toutes ces petites images qui se succédaient horizontalement, ou disposées en colonnes verticales, ne les intriguaient pas seulement. Nos amis les Bédouins voulaient les comprendre.

La première leçon

Un certain soir, pendant le dîner autour d'un feu, bienvenu dans ce coin de la montagne désertique, le plus curieux des jeunes Bédouins demanda à l'un des scribes égyptiens de tracer sur le sable quelques-uns de ces signes qui l'intriguaient fort, puis d'expliquer au petit groupe de ses camarades, ce que ces signes reproduisaient vraiment et à quoi ils servaient. Son étonnement fut total, lorsque le scribe, exemples à l'appui, se mit à l'initier en lui expliquant :

« Parfois un signe est dessiné pour évoquer simplement ce que sa forme représente, ou évoque. Ainsi, le dessin d'une vipère noire, si fréquente l'été dans la montagne, indique qu'il s'agit du reptile lui-même. Il fallait, en revanche, savoir aussi que la majorité des signes correspondait à un, deux ou trois sons, et que leurs différents groupements entre eux n'avaient rien à voir avec ce qu'ils représentaient individuellement. »

La comparaison de deux langues

Le premier étonnement passé, le jeune Bédouin demanda au scribe de tracer un hiéroglyphe qui corresponde à deux sons. Le scribe dessina sur le sol l'hiéroglyphe de la maison : un rectangle, dont un des deux grands côtés était ouvert en son milieu.

Les questions fusèrent alors : « Qu'est-ce que cela représente ? » « Comment le prononce-t-on ? – C'est le plan, sur le sol, d'une maison avec l'endroit pour l'entrée, répond le scribe, mais c'est aussi le mur d'enceinte d'une maison dans sa cour. Cela se prononce *per.* » (Je simplifie, puisque, en égyptien comme dans les langues sémitiques, les voyelles faibles ne s'écrivent pas.) Alors, après réflexion, notre jeune curieux déclara que sa cahute, ou sa tente à lui, il l'appelait *beït,* (connu encore dans l'arabe actuel). Il réfléchit à nouveau, puis demanda : « Trace-moi un nouveau signe. » Cette fois-ci, le scribe dessina un œil vu de face et indiqua à l'auditoire – qui s'était étoffé – qu'il s'agissait de l'œil, ce que tous avaient reconnu. « Cela se prononce *ir* en égyptien ; et chez vous ? – Chez nous, répondit le jeune homme, je dis *ayïn* » (c'est encore le mot en arabe moderne). Puis, le scribe termina sa démonstration en écrivant ce qui pourrait évoquer un croisement, que le Bédouin prononça dans sa langue *taou* (*taw*).

Une suggestion

Silence ! Après une sorte de raisonnement intérieur, le curieux déclara qu'il ne pourrait jamais tracer toutes les quantités de signes que le scribe pourrait lui énumérer en vue d'envoyer un message au loin, ce qui, pourtant, serait bien pratique. Puis, il ajouta : « Mon père, à la saison chaude, dans le passé, est allé travailler dans les pays du bord de la mer (le futur Liban), bien au-dessus de l'Égypte, où certains d'entre nous se rendent chaque année. Il y a vu des signes bizarres, comme les épines que l'on voit parfois sur les plantes et que les gens de là-bas marquent sur des petits blocs de boue séchée (les tablettes incisées de signes cunéiformes). Ces signes-là n'ont pas de vraies formes, mais il paraît que l'on peut dire beaucoup de choses avec ces épines ! Je préfère des jolis dessins, mais ils sont bien compliqués ! »

Création du premier alphabet

Le lendemain soir, le jeune Bédouin est revenu autour du feu et il a déclare au scribe qu'il avait bien réfléchi, car, depuis la veille, il

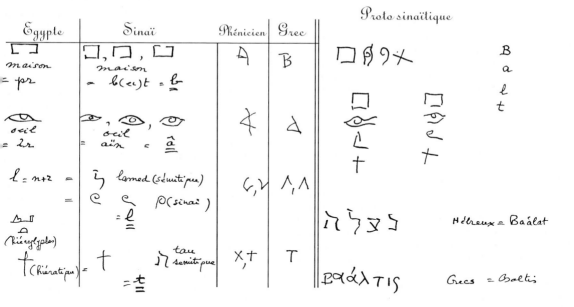

voulait apprendre à écrire. « Mais il faudrait, ajouta-t-il, pour tracer notre langue, très peu de signes, très simples. Si tu peux m'aider à trouver un moyen pour cela, tu nous auras fait un don du dieu. »

Alors, le scribe et le jeune Bédouin, encouragés par certains de leurs camarades, en plein désert du Sinaï, se sont mis à dénombrer les différents sons contenus dans leurs langages respectifs et qui, *grosso modo*, pouvaient correspondre à la majorité des sons qu'ils utilisaient. Il semble qu'ils arrivèrent à en compter une trentaine, probablement même un peu moins. (Les travaux les plus convaincants pour aboutir aux conclusions qui vont suivre, ont été menés par Sir Alan Gardiner durant le milieu de notre XXe siècle.)

Comment extraire ces sons des mots qui les réunissent en un seul hiéroglyphe ? Après plusieurs essais non concluants, le scribe et le

Tableau comparatif d'éléments d'écriture
Évocation du cheminement de deux signes hiéroglyphiques et de leur déformation bédouine, depuis le Moyen Empire au Sinaï jusqu'en Grèce et à Rome.

Bédouin proposèrent définitivement, que le signe représentant la maison 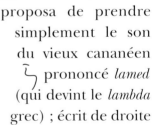 : *p(e)r*, et qui se traduit dans la langue sémitique du Bédouin par *beït*, pourrait être utilisé pour **écrire seulement le premier son du mot**, à savoir **B**. Ils avaient inventé, ensemble, le procédé d'**acrophonie**. Puis, ils vinrent à considérer le second signe, celui qui reproduisit un œil vu de face : , *ir*, que le Bédouin, dans sa langue, prononçait *ayïn*. Ils décidèrent, suivant le même principe d'acrophonie, de ne considérer que sa première lettre : **A**.

Ayant recherché un mot qui, dans la langue du Bédouin, commençait par BA, ils décidèrent, selon le même système, de composer le mot **BALAT**, celui qui signifiait « la Dame », « la Maîtresse suprême », féminin de Baâl, le dieu cananéen.

Ils cherchèrent un mot égyptien qui commençait par un **L** ; mais cette lettre n'existait pas en égyptien. Alors, le scribe proposa de prendre simplement le son du vieux cananéen prononcé *lamed* (qui devint le *lambda* grec) ; écrit de droite

Sphinx copié par un Bédouin
Une inscription proto-sinaïtique est gravée sur le socle.
Moyen Empire
Sérabit el-Khadim

à gauche, il se présentait comme ⌒ . Enfin, pour écrire le **T** final, ils dessinèrent le ┬ qui, dans l'écriture cursive hiératique égyptienne, était la simplification des hiéroglyphes ⬠◻ , servant à écrire *dit* < T.

Triomphants, ils avaient pu écrire le nom de leur déesse : **Balat** !

Ensuite, ils se mirent à sélectionner, dans la langue du Bédouin, des mots qui commençaient, chacun, par des sons constitutifs de cette langue. Avec l'aide du scribe, il suffisait, alors, de choisir le signe égyptien correspondant à celui dont la lettre d'attaque était retenue dans sa traduction sémitique et d'en dessiner la forme la plus simple. Le premier alphabet **protosinaïtique**, dont le nombre de lettres – qui furent l'objet de diverses transformations – varie probablement entre vingt-cinq et trente signes/dessins, venait de naître. Il fut définitivement constitué entre la XIIe et la XVIIIe dynastie.

La diffusion du protosinaïtique

Quand l'activité des mines de turquoise s'arrêtait, les Bédouins journaliers allaient retrouver du travail dans les régions les plus fraîches du nord (le futur Liban, nous l'avons vu), où leur collaboration était très appréciée. Ils apportèrent avec eux ce moyen quasiment magique de communiquer et qui suscita le plus vif intérêt des Cananéens, habitués aux difficultés de l'écriture cunéiforme. Ils adoptèrent ces signes providentiellement accessibles et en transformèrent encore quelque peu, à l'usage, leurs silhouettes.

Sur toute la côte orientale de la Méditerranée, l'alphabet protosinaïtique fut utilisé pour écrire les différentes versions des langues locales. Il paraît certain que le fameux alphabet, découvert durant les fouilles de l'antique **Ougarit**, la ville moderne de Ras Shamra, face à Chypre, fut grandement influencé par l'apparition du protosinaïtique.

L'odyssée de l'alphabet

Plus tard, ainsi que Platon l'avait pressenti au cours de ses recherches sur l'écriture phénicienne, l'alphabet grec constitua le dernier développement de l'écriture protosinaïtique, elle-même inspirée de l'écriture hiéroglyphique. Les habitants de l'Hellade surent très intelligemment en hériter. Mais, bien avant la période classique qui précéda leur invasion, les barbares doriens, brutaux et probablement analphabètes, déferlèrent en Anatolie, puis descendirent un peu plus au sud, avant de gagner le Péloponnèse, pour cueillir, en la découvrant, cette moisson inattendue et d'une utilité primordiale, mais dont ils déformèrent encore un peu les signes.

Lorsque, au VIe siècle avant notre ère, un certain Potasimto, général grec de la légion étrangère égyptienne de Psammétique II, se rendit au pays de Kouch (Soudan), pour affronter les armées d'Aspalta, il passa avec son armée devant les deux temples-speos d'Abou Simbel, creusés sur la rive occidentale du Nil nubien. Il ne manqua pas de faire inscrire, sur la gigan-

tesque jambe du premier colosse sud de la façade du temple de Ramsès, les traces de son passage. Et c'est ainsi que la **première inscription grecque en lettres archaïques monumentales** demeure conservée, non pas en Hellade, mais en Égypte, portant en elle les signes, dont l'origine était le pays de Sésostris et de Ramsès.

Cet alphabet, adopté par les Grecs, fut ensuite employé par les Romains, bien placés pour en faire profiter une partie du monde.

La transmission ne consiste pas seulement en l'utilisation générale de ces quelques hiéroglyphes qui transformèrent la communication de la pensée. Encore fallait-il trouver le support, grâce auquel on pouvait s'abstenir de continuer à inscrire des textes sur une peau animale, sur des écorces d'arbres, des tessons de poterie

Hiéroglyphes glyptiques monumentaux
Voici l'exemple d'une magnifique inscription hiéroglyphique sur un mur de temple, au nom du pharaon Thoutmosis III. Temple d'Amada (Nubie) XVIIIe dynastie

Préparation du papyrus
La plante est écorcée, puis
les longues bandes fibreuses
sont brossées, ensuite
placées par couches
successives perpendiculaires
et enfin mises sous presse.
Les fibres les plus proches
de la moelle de la plante
servent à produire
le « papier » le plus fin.
Peinture de tombe
XVIIIᵉ dynastie – Thèbes-Ouest

(ostraca), des planchettes de bois ou des stèles trop pondéreuses, pour un transport pratique.

L'Égypte, depuis la première de ses dynasties, avait déjà fourni les rouleaux de papyrus, fabriqués avec les longues fibres de la plante *cyperus papyrus* qui poussait en abondance dans les marécages du delta du Nil. Les meilleures fibres intérieures de la tige étaient grattées, brossées, battues, puis collées sous presse en deux épaisseurs placées perpendiculairement, composant des feuilles d'environ 0,40 cm, puis réunies en rouleaux – les *volumen* –, constituant ainsi un moyen pour transmettre aisément messages et connaissances. Les textes étaient écrits à l'aide de minces pinceaux, fabriqués avec des joncs, que l'on trempait dans l'encre noire, faite de cendre et de gomme, et dans l'encre rouge, obtenue de l'ocre rouge du désert, le *gebel*.

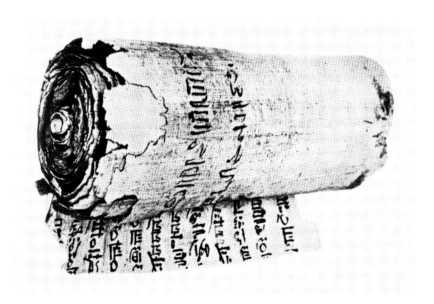

Le commerce du papyrus, monopole de Pharaon, se faisait souvent par l'étranger, grâce au port de Byblos (Liban), d'où le nom de *biblion*, donné par les Grecs au papyrus. Ce magnifique support de la pensée fut utilisé jusqu'au VIIIᵉ siècle de notre ère, avant d'être remplacé par le papier de chiffon, venu de l'Est. Mais il prolongea, par son usage, le nom du papyrus qui l'avait précédé et qui serait tiré de l'égyptien : *pa* = le (matériau de) *per aâ* = Pharaon > papyrus.

Rouleau de papyrus
Ce papyrus littéraire, contenant le premier Livre des Songes, a été tracé en signes hiératiques. Nouvel Empire
anc. Collection Chester Beatty

VIII
LA MÉDECINE ÉGYPTIENNE

**Achèvement
d'une momification**
Lorsque, privé de ses
organes (sauf le cœur
et les reins), et débarrassé
de ses graisses, le corps
du défunt était entouré
de nombreuses bandelettes
de lin, il restait alors à
l'envelopper d'un linceul.
Celui-ci était maintenu
par un réseau de rubans,
comme on peut le voir ici.
Dessin reproduisant une
peinture de la XVIIIe dynastie

La momie de Ramsès II
Cette momie royale avait
été traitée avec un très
grand soin : elle nous a livré
quelques secrets de
sa préparation.
Le plus surprenant fut que,
– en visite médicale à Paris –
elle nous a révélé, entre
autres, l'existence
de graines
de poivre dans les
narines et de
feuilles de tabac
finement hachées
dans le thorax.

Les fils d'Imhotep

Une des sciences égyptiennes, la plus anciennement et la plus brillamment pratiquée, est bien celle que maîtrisait l'illustre Imhotep : l'art de guérir et son inséparable corollaire, la pharmacopée.

Une aide : la momification

Pouvait-il en être autrement pour un peuple qui, dès les balbutiements de son époque historique, s'est évertué à préserver de l'anéantissement les corps de ses défunts en inventant la momification ?

Ainsi apparaît-il que, dans l'antique Proche-Orient, seule l'Égypte semble avoir bénéficié de cette pratique, conduisant indirectement à pénétrer les mystères du corps humain.

Le rayonnement des sinous à l'étranger

La réputation des médecins égyptiens, les s*inous*, était telle, que l'on venait de l'étranger consulter ces savants, des médecins laïques par excellence, par opposition aux guérisseurs ou magiciens, les fameux prêtres de Sekhmet ou encore les conjurateurs de Selket.

On peut toujours voir, sur un mur de la chapelle thébaine de Neb-Amon, médecin du temps d'Aménophis II, l'évocation de la visite que lui fit un prince syrien désirant consulter le maître. En somptueux costume oriental, tranchant avec le bien simple pagne de lin blanc du médecin, le prince, portant la barbe de son pays, était accompagné de son épouse. Le patient est installé sur un imposant tabouret, pendant que son épouse, le corps enveloppé d'un châle multicolore à la mode babylonienne, assiste à la consultation. Debout devant son malade, Neb-Amon lui présente une

Visite d'un seigneur syrien chez le médecin égyptien
Le médecin Nebamon présente à son patient un médicament qu'il a composé en suivant les prescriptions de son livre de recettes.
Tombe de Nebamon
XVIIIᵉ dynastie – Thèbes-Ouest

coupe contenant la potion qu'il doit ingurgiter. En retour, il est indiqué que les honoraires du médecin se traduisent en « esclaves, en bétail, en cuivre et en natron » !

Trois règnes plus tard, les archives royales, retrouvées pendant les fouilles de la capitale Akhetaton (Tell el-Amarna), fondée par Aménophis IV, révélèrent la correspondance échangée, toujours sous la XVIIIe dynastie, avec le prince du Mitanni, Shama-Adda. Ce dernier tenta d'obtenir du roi d'Égypte l'envoi d'un médecin de service, dont sa cour ne disposait pas. Une demande analogue fut exprimée par Niqmat, roi d'Ougarit, l'actuel Ras-Shamra, le port situé sur la côte méditerranéenne, face à Chypre (nous l'avons mentionné plus haut). Ces roitelets du Proche-Orient avaient pris l'habitude de se tourner vers le palais royal d'Égypte où, dès l'Ancien Empire, se succédaient, de père en fils, les brillants praticiens de l'École égyptienne de médecine, dont la renommée était considérable.

Toutefois, il faut noter que certains des souverains voisins de l'Égypte, tel Toushratta, roi du Mitanni, adressaient au palais la statue d'Ishtar pour contribuer à maintenir la santé défaillante du roi !

En revanche, des parallèles évidents ont pu être constatés entre certains textes médicaux égyptiens et leur contrepartie assyro-babylonienne.

Rien, pourtant, ne pourra jamais égaler, en imprévu et en humour, cette correspondance échangée entre le roi des Hittites, Hattousil III, et le deuxième Ramsès. Ce dernier avait, en effet, été sollicité par son ancien adversaire, désireux d'obtenir de lui l'envoi d'un bon gynécologue, afin que sa sœur, désespérément stérile, puisse enfanter un héritier ! La réponse de Pharaon ne tarde pas : « Voyons, répondit-il, en ce qui concerne Maranayi, la sœur de mon frère, (moi) le roi, ton frère, je la connais (bien)… elle a soixante ans ! Jamais personne ne peut fabriquer des médicaments lui permettant d'avoir des enfants (à cet âge-là). Mais, naturellement, si le Soleil et le Dieu de l'Orage (à savoir les deux souverains), le souhaitent, j'enverrai un bon magicien et un médecin capable qui lui prépareront quelques drogues pour la procréation. »

Au reste, le même Hattousil reçut également, de la part des pharmaciens de Ramsès, de savantes et bien efficaces préparations qui purent le guérir d'une grave ophtalmie. Ce dernier n'hésita donc plus à faire appel à son royal ami, afin d'obtenir pour Kurunta, un des ses vassaux, roi de la terre du Tarhuntas, des herbes, que devait lui fournir un certain Paramakhou, médecin du dit Ramsès.

Les médecins spécialistes

La renommée des *sinous* était telle que, après l'invasion de l'Égypte par les Perses (fin du VIe siècle avant notre ère), Cambyse s'adressa à Oudjahorresné, célèbre chef des médecins des pharaons Amasis et Psammétique, afin qu'il reconstituât l'École de médecine de la ville de Saïs, école dont la disparition était cruellement ressentie. Cette démarche fit accuser le grand praticien d'avoir collaboré avec l'occupant ! À ce propos, Hérodote rapporte que le roi Amasis

Scène de circoncision
Dès le début de l'Histoire, la circoncision était pratiquée en Égypte, ce qui n'était pas toujours le cas dans les pays voisins du Proche-Orient. Abraham attendit de venir en Égypte pour se faire circoncire, à l'âge de soixante-quinze ans !
Mastaba de Guizé
V^e dynastie

avait adressé à Cyrus un spécialiste égyptien des yeux ; il rappelle aussi, que Darius s'entourait de médecins égyptiens. Ce même Hérodote, confirmé par Pline l'Ancien, constate que « la médecine égyptienne est divisée en spécialités : chaque praticien soigne une maladie, et une seule […] aussi, le pays est-il plein de médecins spécialisés des yeux, de la tête, des dents, du ventre… ». Et ces spécialistes devenaient des praticiens à part entière, lorsqu'ils avaient complètement maîtrisé leur domaine particulier. « En Égypte, tout est plein de médecins », concluait cet ancêtre des historiens.

Les connaissances et traités médicaux

Les vestiges conservés des traités médicaux (papyrus Ebers, Edwin Smith…) nous permettent de constater, très clairement, que les Égyptiens avaient été les premiers à observer que le cœur était « l'organe essentiel de la vie », qu'il se manifestait « en parlant », c'est-à-dire qu'il battait suivant un rythme traduit par le pouls. On ne peut, assurément, prétendre qu'ils avaient, dès la découverte de la clepsydre, eu l'idée de compter les pulsations du cœur avec cette montre à eau, mais de nombreux indices nous portent à le croire. Bien plus tard, Hérophile, de l'École d'Alexandrie, sa ville natale, fut le premier médecin grec connu pour avoir utilisé la clepsydre dans l'exercice de son art, au IIIᵉ siècle avant notre ère. Il est très probable qu'il perfectionna ce procédé pour mesurer le pouls de ses patients, procédé dont l'invention remonte aux travaux d'un physicien thébain de la XVIIIᵉ dynastie

Cependant, avant la création de cette Ecole d'Alexandrie, il faut situer les trois principaux foyers de la pensée médicale grecque, héritière des relations étroites élaborées avec les Écoles égyptiennes de médecine. Ce sont les enseignements de Cos, de Cnide et de Crotone.

Procédés médicaux « modernes »

En sondant les connaissances de ces foyers de recherche, on peut facilement cerner les emprunts, faits à la science égyptienne par

Hippocrate (450 – 377 av. J.-C.), le grand chef de file de l'École de Cos, dont la légende rapporte qu'il séjourna trois ans en Égypte : ainsi peut-on citer en exemple les pronostics de naissances, enregistrés, dès le Nouvel Empire, par le papyrus Carlsberg. Sur ce dernier, il s'agit de déterminer le sexe de l'enfant à naître. On y reconnaît le « test par l'hydromel », ou encore celui qui utilise l'action des urines d'une femme enceinte sur la germination de diverses graines – à rapprocher de la théorie moderne du rôle joué par certaines hormones – et qui parvint jusqu'à nous, en passant par Byzance.

L'influence sur la médecine grecque

Abordant le legs de l'Égypte à la Grèce, et plus précisément en ce qui concerne la médecine et la science en général, je ne peux résister à citer les paroles de ce très grand égyptologue, qu'était Serge Sauneron, accidentellement disparu à l'âge de cinquante ans : « L'Égypte était, aux yeux des Grecs, comme le berceau de toute science et de toute sagesse. Les plus célèbres parmi les savants ou les philosophes hellènes ont franchi la mer pour chercher, auprès des prêtres, l'initiation à de nouvelles sciences. Et s'ils n'y allèrent pas, leurs biographes s'empressèrent d'ajouter, aux épisodes de leur vie, le voyage devenu aussi traditionnel que nécessaire ! »

Quelle raison aurait-on de douter de la visite rendue par Pythagore (580-490 av. J.-C.) au pharaon Amasis ? Et pourquoi ne pas suivre Clément d'Alexandrie qui, au IIIe siècle de notre ère

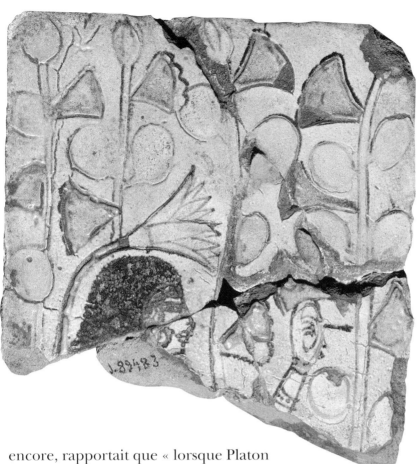

encore, rapportait que « lorsque Platon se rendit en Égypte... lui, qui était maître tout-puissant à Athènes... devint, en Égypte, simple voyageur et élève ? »

Ainsi donc, répétons-le, la médecine cardiologique, gynécologique, des yeux, des voies intestinales et urinaires, était étudiée et appliquée à l'aide d'une savante pharmacopée d'origine minérale, végétale, animale et même humaine. Les papyrus médicaux nous ont laissé plus de quatre cents noms de drogues et l'énumération des multiples moyens de les appliquer : pilules, décoctions, potions et sirops, gargarismes et bains de bouche, macérations, emplâtres, cataplasmes, collyres, inhalations, fumigations, lavements, tampons, irrigations vaginales, introduction d'un pessaire...

Préparation d'un onguent
Jeune fille, extrayant le « suc » d'une tige de rose trémière.
Dalle de terre cuite vernissée – Palais de Ramsès

Les reliques de la médecine égyptienne dans les soins et le vocabulaire

Quelques recettes-panacées antiques sont même parvenues jusqu'à nos provinces reculées, telle l'utilisation du lait d'une femme qui vient de mettre un enfant mâle au monde, lait recommandé pour soigner une ophtalmie ou faire disparaître un coryza. Le modèle du récipient, dans lequel ce liquide était déposé, nous est connu : il est même conservé dans certains musées d'égyptologie. Ce lait (ou le colostrum ?) était véhiculé dans de petits pots anthropomorphes en terre cuite vernissée rose corail et modelés à l'image d'une femme accroupie, présentant devant elle un petit garçon tout nu. La recette de cette panacée a gagné très tôt notre vénérable région de Champagne et se retrouve ainsi dans la prédiction, faite à la mère de saint Rémi de Reims : « Lorsqu'elle aura mis au monde son fils, le lait de l'heureuse mère guérira un aveugle ! ».

L'art de pratiquer les soins du corps est certainement une des caractéristiques de la civilisation égyptienne, de sa science et de son humanisme naissant, lequel s'est répandu dans toute la sphère d'influence des pharaons.

Il était donc logique que Ptolémée Ier – suivant en cela l'exemple des Perses – réservât, dans l'aire de son *museion* d'Alexandrie, une place importante pour recevoir une école médicale sous l'autorité d'Hérophile et d'Erasistrate. On peut, à ce propos, constater avec Gustave Lefebvre, qu'Alexandrie fut la porte par laquelle la science des Égyptiens passa en Europe, entraî-

Pot anthropomorphe
Partie supérieure d'un pot à pharmacie, évoquant de par sa forme, son contenant. En effet, la femme représentée tient son sein qui vient d'allaiter son nouveau-né. Il s'agit donc bien d'un récipient destiné à contenir le « lait d'une femme qui vient de mettre un enfant mâle au monde » (le colostrum).
Terre cuite – Nouvel Empire
Musée du Louvre

nant avec elle l'extraordinaire richesse de sa médecine et de sa pharmacopée.

Nombre de mots utilisés par les *sinou(s)* nous sont parvenus et nous ont touchés d'une façon quasiment directe. Ainsi le terme **migraine** nous vient du mot grec *hemicrania*, traduit littéralement de l'égyptien *ges-tep*, signifiant « moitié (du) crâne ». **Cataracte** n'est qu'une transposition de l'égyptien *akhet-net-mou* : « rassemblement d'eau ». **La pupille de l'œil** se disait en égyptien *tout net iret :* « image de l'œil », ou encore *hounet imyt iret*, à savoir : « la jeune fille dans l'œil ». Or, en grec, la jeune fille était une *corée,* en latin une *pupilla* et en espagnol une *nina de los ojos.*

La médecine du travail

Mais ces savants savaient-ils qu'au début de la XIXe dynastie existaient déjà, à Thèbes d'Égypte, des agents de la médecine du travail ? Ceci est prouvé par les peintures des chapelles funé-

Transport d'un blessé
Transport d'un Nubien blessé après une bataille.
Temple de Beït el-Ouali

raires, évoquant l'action bienfaisante des médecins sur les artisans de la nécropole, blessés au cours de leur travail : foulure ou fracture d'un membre, chute malencontreuse, accident meurtrissant un œil, coupure provoquant une hémorragie… tout pouvait être soigné par ces médecins spécialistes.

Médecine du travail
Dans une scène représentant un chantier où des ouvriers sont au travail, plusieurs accidents sont survenus. On s'occupe sur place d'un bras meurtri, ou encore on soigne un œil blessé. Peinture de tombe XIXᵉ dynastie – Thèbes-Ouest

IX
L'ARCHITECTURE
ET SON HÉRITAGE

Les trois grandes pyramides
Les plus célèbres de plus d'une quarantaine de pyramides, d'importance plus ou moins grande, sont celles qui illustrent les tombeaux de Khéops, de Khephren et de Mykérinos.
IVe dynastie – Guizé

L'impact de l'Égypte antique sur les civilisations qui l'entouraient fut, on le voit, considérable. On peut en juger facilement, ne serait-ce qu'à évoquer les deux phénomènes, sur lesquels j'ai attiré l'attention de nos lecteurs : le calendrier solaire (le seul de la haute Antiquité), et l'origine de notre alphabet ! À ces deux seuls titres, l'Égypte a gagné la reconnaissance de l'humanité. Au reste, et sans tomber aucunement dans le redoutable jeu des coïncidences, on constate, dans une infinité de cas, l'indéniable héritage de l'Égypte.

L'architecture de pierre

Pourtant, les manuels techniques sur l'art de bâtir, les livres d'enseignement scientifique de l'antique Égypte ont disparu, mais lorsque des témoignages ont pu être épargnés du désespérant naufrage des bibliothèques, on est alors informé du niveau très affirmé des connaissances acquises par les vieux Égyptiens (ce cas se présente très clairement pour la science médicale, par exemple).

Est-il besoin de signaler la splendeur et l'originalité de l'architecture monumentale de ce pays ? Ce qui en subsiste parle de lui-même, bien que, pour l'édification des célèbres pyramides de l'Ancien Empire, les meilleurs de nos architectes et ingénieurs continuent encore à s'efforcer, en sondant les entrailles de la Grande Pyramide, de retrouver les méthodes utilisées par les géniaux architectes.

Il n'est pas nécessaire, non plus, d'évoquer la si haute technicité, alors que nous ne pouvons pas nous-mêmes établir par quel procédé les ouvriers du souverain pouvaient extraire les immenses blocs de diorite (ou de dolérite), pour fournir aux

Les carrières de Kertassi
L'Égypte était – et est encore – riche en pierres, depuis le grès et le calcaire jusqu'au granit et aussi le quartzite et la grauwacke. Les carrières étaient souvent en plein air. La pierre était extraite suivant la taille approximative désirée. Tout le grès nécessaire à la construction des monuments de Philae provient de ces carrières de Kertassi (Nubie). Parfois les entrepreneurs en profitaient pour faire sculpter sur la paroi rocheuse leur propre buste. Ils y faisaient aussi graver leurs virulentes protestations, lorsque les prêtres d'Isis n'honoraient pas leurs contrats !
Basse Époque

Façade du temple de Louxor
Cette aquarelle du temple de Louxor a été faite durant l'expédition de Bonaparte en Égypte. On distingue les deux tours du pylône édifié sous Ramsès II et, sur le parvis, les deux obélisques, également érigés par le même pharaon. De nos jours, « la belle

temples les chefs-d'œuvre de la statuaire ! Il ne faut pas oublier que, seul, le roi était maître des nombreuses et précieuses carrières de la pierre d'Égypte : il faisait parfois don d'un bloc, pour une statue ou une stèle, à ceux qu'il désirait récompenser, mais, avant tout, la pierre était réservée à l'édification des temples, maisons du dieu, et des chapelles funéraires, maisons d'éternité.

Ces gigantesques constructions de pierre, à la mesure d'un peuple de géants, et dont on a peine à évaluer la masse, tant elles sont admirablement proportionnées, avaient été conçues par des bâtisseurs tributaires de leur environnement.

À l'immensité plate du désert qui flanquait de près les deux rives du Nil, les Égyptiens n'avaient pu opposer que des monuments massifs, aux

aiguille de granit rose »
(à droite) manque, prélevée
par Mehemet Ali, afin
de l'offrir à Champollion pour
la France, en témoignage
de reconnaissance envers
celui qui avait percé le
secret des hiéroglyphes et,
ainsi, rendu à l'Egypte
son histoire.
1799 – Thèbes-Est

lignes pures et géométriques. Ils érigèrent, alors, avec bonheur, pyramides et pylônes de temples.

Ces formes si particulières convenaient admirablement au seul horizon égyptien, et les modestes copies, qu'elles inspirèrent par la suite, ne furent guère heureuses. Il fallut que plusieurs milliers d'années se soient écoulées, pour qu'un audacieux Asiatique se soit enhardi à évoquer, au cœur du palais du Louvre, une transparente allusion à la couverture du caveau de Khéops.

Le décor architectural, sujet d'inspiration

L'architecture de briques de terre crue, faites de la boue du Nil, apparut très tôt, on le sait, sous le soleil d'Égypte. Elle rivalisa, dès la Ière dynastie, avec l'emploi du bois pour l'édification des plus anciennes constructions religieuses.

À l'aube de la IIIe dynastie, ce fut une véritable révolution artistique, provoquée par le roi **Djéser** et son architecte **Imhotep**. Les anciennes formes furent alors traduites dans la pierre jusqu'aux petites barrières magiques, primitivement faites de branchages ! Quant aux supports des architraves, les colonnes, les premières avaient été composées d'une « âme » de boue du Nil et de tiges végétales, entourées d'un haut corselet de papyrus. Selon que cette couverture demeura en place, ou fut retirée une fois la trace de l'empreinte apparente, la colonne protodorique présentait une surface convexe ou concave. Copiée dans la pierre, la colonne fasciculée, ainsi créée, ne fut plus jamais abandonnée. Il en subsiste encore des exemples

Colonne « protodorique »
C'est non loin de la pyramide à degrés, et dans son complexe funéraire, qu'apparaissent les colonnes justement appelées protodoriques.
Sakkara
IIIe dynastie, règne de Djéser

devant certaines chapelles des nécropoles de l'Ancien Empire. Les hypogées du Moyen Empire, à Béni Hasan, conservent de très élégants spécimens qui paraissent constituer le prototype des colonnes doriques, bien avant la lettre. La suprême harmonie fut atteinte à la XVIIIe dynastie. On peut encore en admirer les effets devant la chapelle d'Anubis, au nord du temple jubilaire de la reine **Hatshepsout à Deir el-Bahari.** Nul doute que les premiers voyageurs grecs ne restèrent pas insensibles devant cette aérienne enfilade cannelée de calcaire doré, que le soleil animait – et anime encore – d'ombre et de lumière : elle aurait pu servir d'enclos aux chefs-d'œuvre de Phidias.

Page ci-contre
Colonnade
« protodorique »
Au Nouvel Empire, la colonne s'est depuis longtemps dégagée du mur archaïque auquel elle s'appuyait.
La plus belle réussite, dans le genre, est celle qui fut composée, sur ordre d'Hatshepsout, pour son temple jubilaire de Deir el-Bahari.
Chapelle d'Anubis
XVIIIe dynastie
Deir el-Bahari

Le temple de Deir el-Bahari
L'édifice jubilaire de la reine Hatshepsout fut élevé en gradins successifs, aux piliers carrés, dont certains étaient ornés de la statue « momiforme » de la souveraine. Afin qu'une grande partie du temple soit visible, Hatshepsout avait ouvert le bâtiment à la vue de tous, en l'entourant d'un mur d'enceinte de faible hauteur (environ 0,60 m).
Temple d'Hatshepsout – XVIIIe dynastie – Thèbes-Ouest

VUE PERSPECTIVE DE LA GRANDE SALLE HYPOSTYLE DU TEMPLE DE KARNAK

**Coupe transversale
d'une salle hypostyle**
On remarque facilement
la similitude de ce plan
avec celui de la basilique.
Le prototype harmonieux
du plan de la salle hypostyle
est celui du Ramesseum,
temple jubilaire de Ramsès II.
Reconstitution d'après
Perrot et Chipiez

Page ci-contre
**Allée centrale
de l'hypostyle de Karnak**
Le soleil redonne vie
à la nature ; aussi, lorsqu'il
traverse l'allée centrale
de la grande salle à colonnes
papyriformes, les chapiteaux
de celles-ci sont-ils sculptés
à l'image d'une corolle
ouverte.
Temple d'Amon – colonnes
des XVIIIe-XIXe dynasties
Karnak

Les colonnes papyriformes

La plus belle salle hypostyle qui soit en Égypte, a été érigée par Ramsès II : c'est la salle centrale de son temple jubilaire, le Ramesseum.

Le centre de la salle est occupé par une allée de douze hautes colonnes évoquant, chacune, une seule tige de papyrus, à chapiteau ouvert, allusion aux douze mois de l'année. Les bas-côtés, aux colonnes moins hautes et aux chapiteaux fermés, sont au nombre de trente-six, évoquant les trente-six décans de l'année.

La symbolique de cette salle, dont l'ossature se rapporte au calendrier, matérialisant la succession des mois de l'année, se retrouve dans nos basiliques et nos cathédrales, après avoir été réalisée dans la fondation de Justinien, dédiée à sainte Catherine, au mont Sinaï. Chacune des colonnes centrales est inscrite au nom du mois correspondant.

a   b   c

**a– Chapiteaux
papyriformes fermés**
Lorsque le fût de la colonne
est formé par l'assemblage
encore visible de tiges,
à section triangulaire, le
chapiteau de ces « plantes »
présente des boutons au
sommet fermé sous l'abaque.
XVIIIe dynastie
Temple de Louxor

b – Pilier protoionique
Influence d'une fleur
éthiopienne dont aurait
hérité le chapiteau ionique à
travers l'Égypte.
Karnak

Le chapiteau ionique

Toujours par l'intermédiaire des premiers voyageurs grecs, il semble presque certain, que l'élégante retombée, visible de chaque côté des chapiteaux ornés du pseudo-lys égyptien, ait pu influencer la forme du chapiteau ionique, aux volutes latérales si caractéristiques.

Les oves

Il faut encore se rappeler que, en bordure des plafonds des dais osiriens et royaux, fréquemment représentés à la XIXe dynastie, sont très souvent suspendues de lourdes grappes de raisin, symbolisant le sang du dieu, la vendange divine. Les Grecs semblent avoir emprunté ce motif, pour le transférer, sous forme d'oves, aux bandeaux décoratifs. On pourrait encore faire un rapprochement avec les tores (boudins), les corniches, etc.

Page ci-contre
c – Pilier osiriaque
Les deux grandes cours
d'entrée de ce temple étaient
bordées de piliers osiriaques,
ornés de la statue du roi,
dressé et le corps entouré
d'un suaire. Cette statue
est complémentaire du pilier
et **ne** constitue **pas**
un soutien architectural.
En revanche, les Atlantes
de l'architecture grecque
supportent, de leur tête,
les architraves.
Ramesseum
XIXᵉ dynastie
Thèbes-Ouest

Triple kiosque royal
Au Nouvel Empire on voit
apparaître l'image de trois
dais successifs, positivement
emboîtés. Leurs chapiteaux
très symboliques sont,
de bas en haut, lotiformes,
liriformes (protoioniques) et
papyriformes. Les « oves »,
sous le premier plafond,
évoquent des grappes
de raisin. Sous ce dais
sont figurés Aménophis III
et la reine Tiyi.
Relief anciennement
polychrome
XVIIIᵉ dynastie
Thèbes-Ouest

Dais osirien
Ce dais osirien est devenu
composite. En effet, il n'est
plus question de superposer
les dais successifs.
En revanche, les chapiteaux
qui ornent ce kiosque
d'Osiris, sont emboîtés
l'un au-dessus de l'autre.
Peinture de tombe
XIXᵉ dynastie
Thèbes-Ouest

Les tonnelles de vigne

Il faut, cependant, revenir quelques instants aux oves du décor architectural grec, emprunté à l'Égypte. Ces oves sont en réalité des grappes de raisin (nous l'avons vu), figurant avec les ceps et les larges feuilles dans la composition des réelles tonnelles qui agrémentaient les jardins. La présence de la vigne dans le décor funéraire, par ses grappes, gonflées du sang d'Osiris-le-sacrifié, annonçait l'arrivée de l'Inondation et le Jour de l'An, avec le retour des bienheureux défunts.

Un seigneur thébain, ministre de l'Agriculture d'Aménophis II, Sennefer, transforma même le

Caveau en tonnelle de vigne
Sennefer s'était fait aménager un caveau creusé dans la montagne thébaine. Dominé par une élégante chapelle funéraire, ce caveau avait été conçu comme un petit édifice servant de support à l'épanouissement d'une vigne et soutenu par des piliers à section carrée.
Tombe de Sennefer
XVIIIᵉ dynastie
Thèbes-Ouest

caveau de sa tombe, creusée dans la montagne, en une tonnelle la plus plantureuse qui soit.

Cette plante au symbolisme très puissant ne fut jamais oubliée des Égyptiens qui, à l'époque chrétienne copte, en ornèrent les frises murales de leurs églises (cf. la frise de l'église de Baouït, au Musée du Louvre). Les grappes se retrouvent dans les chapiteaux et les colonnes de nos églises en Occident.

Ciel et sol des temples

Le temple, évoquant l'univers créé par le démiurge, les plafonds des Saints des Saints, ou de certaines galeries, étaient souvent ornés d'étoiles à cinq branches. Quant au sol, destiné à être foulé pieds nus, il pourrait, aux yeux d'un observateur non averti et habitué à la parfaite rigueur de la construction, être une preuve de négligence en raison de l'irrégularité des dalles qui le composent. Cet *opus incertum*, adopté plus tard par les Romains et dont toute l'Europe s'est inspirée, était volontaire. Il rappelait la surface de la Terre Noire, assoiffée d'eau et craquelée, précédant l'Inondation salvatrice : encore un héritage de la vieille Égypte.

Le « bandeau » égyptien

Au sujet des métopes et des triglyphes qui ornaient, en bandeaux historiés, l'entablement des temples grecs, il faut probablement remonter jusqu'à la XIXᵉ dynastie ramesside pour voir apparaître assez régulièrement, sous la corniche des petites chapelles-kiosques osiriennes, une bande horizontale décorative, constituée par la succession de rectangles et de barres verticales.

Chapelle de la déesse Hathor
Sur la terrasse du temple de Dandara avait été édifiée une chapelle, destinée à recevoir la visite de la déesse, principalement au Jour de l'An. Les chapiteaux des petites colonnes engagées sont ornés, sur chacune de leurs faces, du visage humain à oreilles de vache de la divinité. Au Moyen Empire et au Nouvel Empire, deux seules faces du chapiteau portent cette décoration.
Temple de Dandara
Époque romaine

Les Grecs animèrent les rectangles en les transformant en petits tableaux, composés de sujets mythologiques sculptés.

L'architecture royale et civile

Seule la pierre extraite de sa matrice originelle pouvait servir d'abri au divin. Les palais et les maisons, édifiés en briques de terre crue, n'ont, généralement, laissé que la trace de leurs plans. Comme on a pu le lire plus haut, cette brique d'Égypte, aussi périssable que les humains, est cependant parvenue jusqu'à nous.

L'architecture militaire

Si l'héritage est immense, son cheminement est multiple et parfois imprévu. Prenons l'exemple de l'architecture militaire et la conception des châteaux forts. Leur apparition remonte au moins à l'Ancien Empire, les ruines en sont naturellement moins bien conservées qu'à la période suivante du Moyen Empire, lorsque les circonstances ont contraint les maîtres du pays à protéger leurs frontières contre les premières infiltrations venant de l'Est. Mais les Égyptiens étaient aussi appelés à réagir vigoureusement contre les invasions des gens de Koush, l'actuel Soudan, menaçant les frontières de la Nubie pour atteindre l'Égypte et l'or de ces deux régions.

À l'est du delta, les « Murs du Prince », au Moyen Empire, constituaient déjà une succession de fortins, non reliés entre eux.

Ruines de la forteresse de Bouhen
Vue de l'ensemble au moment de sa découverte.
Bouhen - Moyen Empire
XIIe dynastie
Nubie, 2e cataracte (près de la frontière du Soudan).

Malheureusement, les ruines subsistantes n'en permettent pas la reconstitution. En revanche, au sud de la deuxième cataracte du Nil, les souverains Sésostris et Amenemhat entreprirent, à nouveau, de se défendre contre la percée des pillards avançant vers l'Égypte. Les rois désiraient aussi faciliter le commerce avec les régions plus méridionales.

Les vestiges extrêmement impressionnants sont les bâtiments, édifiés par ordre de Sésostris III, et qui subsistent au sud de la deuxième cataracte sur une dizaine de kilomètres. Une citadelle très importante était celle de Bouhen (Ouadi Halfa), qui occupait une vaste surface de 106.800 m^2. Présentant des murs de briques de terre crue, épais environ de cinq mètres, ils devaient atteindre onze mètres de hauteur.

Les travaux de sauvegarde, au moment où toute la Nubie était menacée d'engloutissement par les eaux du Haut Barrage, le *Sadd el-Aâli*, ont permis à l'architecte Walter Emery de dégager des sables des ruines très impressionnantes. Les murailles de cette forteresse de Bouhen étaient dominées par des tours crénelées, carrées et saillantes. À la base, un rempart, pavé de briques et protégé par un parapet, surplombait un fossé de plus de huit mètres de large et de six mètres et demi de profondeur.

La contrescarpe était surmontée par un chemin de ronde étroit et couvert de briques. Des tourelles circulaires étaient percées de meurtrières, orientées pour décocher des flèches dans trois directions. L'extraordinaire et majestueuse porte fortifiée, à l'ouest, était construite en barbacane ; deux sections intérieures fournissaient une sécurité quasi absolue, renforcée par un pont-levis. (Ces ruines de briques ont actuellement disparu sous les eaux du lac Nasser.)

Bouhen – reconstitution
Les très importantes ruines, ensevelies sous les sables, ont permis au grand archéologue et architecte W. Emery d'exécuter une parfaite reconstitution de la forteresse. La barbacane, grande porte fortifiée comprenant deux locaux fortifiés était équipée d'un pont-levis.

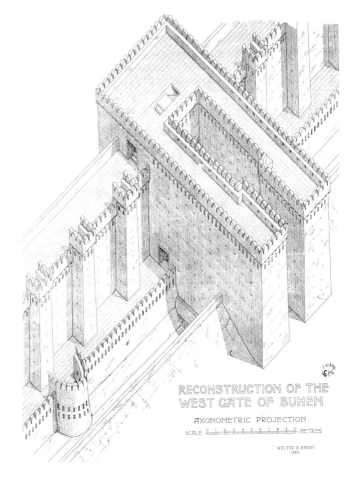

RECONSTRUCTION OF THE WEST GATE OF BUHEN

AXONOMETRIC PROJECTION

SCALE METRES

WALTER B EMERY
1959

Épisode de la bataille de Kadesh
La lutte qui opposait Ramsès II et son armée au roi hittite et à la coalition de ses alliés, avait pour objectif de reprendre la citadelle de Kadesh, sur l'Oronte, investie par les Hittites.
Relief du grand temple d'Abou Simbel
XIXᵉ dynastie – Nubie

Le Nouvel Empire et la pénétration égyptienne dans les cités-États du Proche-Orient, assortie, pour ainsi dire, de structures militaires, dès le règne du grand Thoutmosis le Troisième, contribuèrent grandement à assurer un certain ordre dans ces régions. Le pays de Canaan fut donc muni de places fortes, édifiées par les pharaons. Elles furent parfois perdues au cours de batailles et alors occupées par l'adversaire qui continua longtemps à les entretenir au fil des siècles.

Bien plus tard, lorsque les premiers croisés arrivèrent dans la région, ils trouvèrent alors ces

constructions visiblement plus élaborées que leurs primitifs châteaux forts. Ils copièrent même sur place cette architecture de défense, remarquablement conçue depuis des siècles en Égypte, puis hors de ses frontières.

Le bien connu « Krak des Chevaliers » en est la plus spectaculaire démonstration.

Le Krak des Chevaliers
La citadelle de Kadesh dut certainement étonner et inspirer les croisés par son élégante architecture et son étonnant système de défense. Ils s'efforcèrent d'en édifier des copies sur place.
Vers 1180 – Syrie

X

Les mots voyageurs

Favorite royale, Princesse d'El Bershé
Jeune fille défilant, parée de lotus bleus.
Les sechènes, portaient cette épithète pour indiquer le rang qu'elles occupaient à la cour.
Sechène a donné le nom Suzanne.
Moyen Empire – Musée du Caire

Le Phénix
Cet oiseau bleu légendaire qui renaissait de ses cendres et revenait visiter l'Égypte au terme de longues années, fut représenté sur un mur du caveau de la reine Nofretari. Son nom provient de la déformation de l'égyptien *bennou*.
Tombe de Nofretari
XIXe dynastie
Vallée des Reines
(Thèbes-Ouest)

Statue d'un ibis
Dans l'Égypte ancienne, où il vivait, on l'appelait *heb*. De nos jours on ne le trouve plus qu'en Éthiopie ; mais on peut en voir dans les parcs zoologiques.
Bois stuqué et peint, bronze
Époque saïte
Musée du Louvre

Solidement établie sur son sol, l'Égypte des premiers âges constitua un pôle d'attraction pour ses voisins immédiats de l'est, de Palestine, de Canaan, puis, tardivement, pour les Hébreux, chez qui s'est exercée la plus forte influence et, naturellement, chez les occupants grecs et romains. Le phénomène s'est manifesté pendant des millénaires et dans des domaines assez variés.

Il était naturel que des noms d'animaux ou de plantes, ayant surgi sur la terre d'Afrique, subsistassent sous leur aspect original. Ainsi existent encore les mots *geseh* pour la gazelle, *benou* pour le phénix, *heby* pour l'ibis, *beneret* pour le palmier-dattier. Le même transfert s'est opéré aussi pour des noms de matière : *hebeny*, l'ébène qui donne en hébreu *habnim* et en grec *ebenos* ; *neter (y)* pour nitre et natron ; ou encore le mot « gomme », qui vient de *kemyt*, a donné en copte *komi*, en grec *kommi*, enfin *Gummi* en allemand et *gum* en anglais ! Il existe aussi des termes géographiques, telle *ouhat*, l'oasis. Parfois, c'est le nom d'une technique qui est ainsi transmis, tel *kemi* < chimie, puis magie « noire », qui donna très probablement le nom même de l'Égypte : *kemet* (en arabe, *al-kemi* = alchimie, « la [science] de la Terre Noire »)

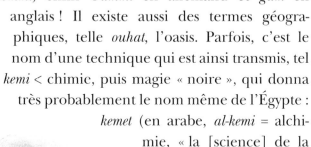

Dans le vocabulaire floral s'inscrivent, en tête, les deux principales fleurs du Pays. C'est d'abord, le lotus bleu, du nom de *sechem*. L'hébreu s'en empara pour donner le nom de *Shechama* (Suzanne) à la femme du roi de Judée *Sousinna*, ce qui fit affecter le nom de *Shachen* à la ville d'Iran, que nous appelons maintenant **Suse**.

À côté du capiteux lotus bleu poussait également la belle fleur blanche, aux nombreux pétales, la *nefer*, terme qui signifie « beau » et aussi « radieux », « plein de vitalité ». Au genre féminin, le nom propre de **Neferet** avait été affecté, avant même l'époque des pyramides, aux charmantes petites filles, ainsi promises à croître en beauté. Durant l'occupation arabe de l'Égypte, le mot *nefer* devint *el-nefer*, ce qui donna **nénuphar**.

Sur un registre analogue, la fleur, prononcée *héréré*, se retrouve, suivant la loi phonétique classique, dans le mot **lys**.

Si peu que l'on ait ouvert la Bible, on n'oublie pas que le petit-fils d'Aaron était appelé **Pinéhas**. Ce prénom est directement issu de l'onomastique des bords du Nil, où l'appellation de **Pa-Nehesy**, couramment utilisée au Nouvel Empire, avait été affectée à un homme du sud à la peau « cuivrée ».

Un autre nom propre, adopté par la Bible, est celui du mari de la femme de mauvaise réputation : **Putiphar**, nom tiré de l'égyptien *pa-di-pa-Ra*, signifiant « celui que le [dieu] Rê a donné », autrement dit : Dieudonné.

Puis, le nom même de **Moïse** qui vient directement du mot *mose*, « celui qui est né », abréviation qui était, en Égypte, employée dans les noms théophores, tels Ra**mosé**, Ptah**mosé** ou Ptah**mès**, Thout**mosé**, Ra**mes**sesou, etc.

Enfin, parmi les mots usuels qui nous sont parvenus du vénérable langage des sujets de **Pharaon**, c'est-à-dire « La Grande Maison », « le Palais », il faut citer avant tout le vocable tiré du verbe égyptien *sek*, « rassembler ». Il a servi, à travers l'hébreu, le grec *sakkos* et le latin *saccus*, à désigner un objet très usuel de notre langue : un **sac** ! Parmi ces mots de différentes catégories, il faut rappeler ceux des vocabulaires professionnels, transmis avec les techniques elles-mêmes.

Un mot égyptien qui a beaucoup voyagé

Un mot, dont le parcours depuis son départ des rives du Nil, a été marqué du plus long itinéraire, pour arriver jusqu'à nous, est le vocable **adobe**. Il apparaît en France à la fin du XIXᵉ siècle pour désigner une brique de terre crue, utilisée dans les constructions. Il s'agit de l'élément essentiel dont l'architecture civile égyptienne se réclama pendant plus de quatre mille années : la brique de terre crue, séchée au soleil. Elle était, et est encore fabriquée avec la boue déposée, avant la construction du Haut Barrage, chaque année, par l'inondation sur le sol d'Égypte. Pour façonner cette brique, rien de plus facile, de plus accessible. En dépit d'une certaine propagande, sa fabrication n'entraînait ni contrainte ni inconvénient majeur de quelque sorte que ce fût.

Il suffisait de mélanger le matériau, régulièrement arraché des rives de l'Atbara éthiopien sous les effets de la crue annuelle du Nil, à de la paille calcinée et de l'eau. Au bout de quelques jours, après fermentation et malaxage de ce mélange, on obtenait, ce que l'on appelle encore de nos jours, en Égypte, de la *mouna*. Il fallait, alors, couler ce mélange dans des moules rectangulaires en bois, laisser sécher superficiellement, puis démouler et faire sécher, complètement, au soleil, les briques ainsi constituées. Elles ont pendant des millénaires, siècles après siècles, servi à édifier les palais royaux comme les humbles demeures de fellahs. Rappelons que la pierre était réservée à l'édification des « maisons divines ».

Fabrication de briques
La touba aboutit, en définitive, en France. On la retrouve dans le Berry et citée dans *La mare au Diable* de George Sand, après un long voyage...

Moule à briques
Simplement un rectangle et une poignée en bois !
Croquis G. Goyon

Fabrication de la brique
Rekhmarê,
d'après Champollion.

On peut encore voir, sur un des murs de la chapelle funéraire de Rekhmara, vizir de Thoutmosis III, des ouvriers égyptiens, imberbes, et des ouvriers sémites – et non pas des esclaves ! –, portant la petite barbe pointue (cf. page 191), occupés très simplement à fabriquer des briques et même à édifier un mur avec ces éléments bien calibrés. Ce travail n'a jamais été considéré comme dégradant ou réservé à des exécutants en servitude. De tout temps et en tout lieu d'Égypte, on façonnait des briques de terre crue. Lorsque le besoin se faisait sentir, sur un de nos chantiers de fouille, soit pour une réparation, soit pour une consolidation, on faisait fabriquer, sur place, la millénaire brique de terre du Nil.

Lorsque, après l'hégire (622 de notre ère), les Arabes s'établirent en Égypte, la vieille appellation de cette brique, la *djeba*, l'ancienne *djebèt* des temps ramessides, perdant un peu de sa tonalité, était devenue la *tobé* de l'Égypte chrétienne, - cette Égypte copte qui, pour écrire sa langue, avait adopté les lettres grecques.

Le mot passa donc dans la langue arabe sous la forme *touba*. Puis, tout au long de la conquête arabe de l'Afrique du Nord, la *touba* devint le matériau idéal pour l'édification des maisons en Tunisie, en Algérie, et au Maroc.

Ensuite, les conquérants passèrent en Espagne sans manquer d'initier les habitants conquis à l'usage de la brique de terre crue. L'article *el* (le ou la) avait été placé devant le mot *tobe, touba*, qui devint ainsi *el-touba*, puis **adobe**.

Quand l'Espagne, à son tour, entreprit la conquête du Mexique, elle entraîna avec elle l'usage de l'adobe qui devint rapidement populaire, aussi bien que son appellation.

La présence espagnole a pu faire penser à certains que le mot adobe, véhiculé par la suite jusqu'aux États-Unis, avait, en définitive, été « rapatrié » en France par des voyageurs. La réalité semble plus cocasse. Il apparaît bien plutôt que ce soient les soldats de l'armée impériale de Napoléon III qui rapportèrent l'adobe chez eux, au retour de leur malheureuse aventure mexicaine !

Fabrication
de la brique

XI
Le legs de l'Égypte à Israël
ou Joseph et l'Égypte

Ramsès II en deuil
Cette étude d'artiste montre le visage de Ramsès II, portant la barbe naissante en signe de deuil ;
coutume encore suivie par les Israélites de nos jours.
Peinture thébaine XIXᵉ dynastie – Thèbes-Ouest

Dès l'Ancien Empire, l'Égypte entretint des rapports généralement pacifiques avec ses voisins immédiats, les Bédouins vivant près de ses frontières avec les peuples des bords orientaux de la Méditerranée, au-delà même de Byblos, où des vestiges de sanctuaires égyptiens en constituent la preuve évidente. Cette expansion égyptienne s'étendit sur toute la région de Canaan et de Syrie-Palestine, comme en témoignent les contacts établis avec les ouvriers mineurs du Sinaï. En retour, après avoir sollicité l'entrée aux postes militaires des frontières, les habitants de ces régions pénétraient en Égypte pacifiquement, ainsi qu'y fait allusion la célèbre peinture d'une tombe de Béni-Hasan.

L'arrivée d'Asiatiques en Égypte
Le texte indique qu'un groupe comprend trente-sept personnes, hommes, femmes et enfants : ils sont introduits par le scribe royal Neferhotep. Lyre, arc et bois de jet sont portés par les hommes, non loin d'un groupe de femmes très élégantes et chaussées de bottillons pour éviter le sable du chemin.
Peinture de tombe
Moyen Empire – Béni Hasan

Sans doute, ce décor d'une des chapelles funéraires d'un nomarque (gouverneur) de Moyenne Égypte demeure une allusion typique à l'époque des Patriarches bibliques (cf. Genèse 12,10, etc.). En effet, on peut y contempler l'arrivée de trente-sept Sémites des bords de la mer Rouge, figurés à la suite de leur chef, un Asiatique nommé Abshaï. Ils sont représentés en costumes nationaux, accompagnés de leurs

femmes et enfants, jouant de la lyre et précédés d'un âne. Ils viennent faire connaissance avec les Égyptiens en leur vendant de la galène pour la fabrication d'antimoine, nécessaire à la protection des yeux du roi d'Égypte.

Ce groupe de Sémites est décrit comme étant constitué de *hekaou khasout*, ou « chefs des pays étrangers », terme qui apparaît pour définir des envahisseurs ; plus tard, ils s'infiltreront en Égypte à la fin du Moyen Empire, et seront connus sous le nom grécisé de **Hyksôs**. On a vu, par ailleurs, que les Bédouins ouvriers du Sinaï reçurent leur première leçon de lecture, d'écriture... et de « traduction comparée » au contact des scribes égyptiens lors des expéditions vers les mines de turquoise.

Ainsi, les Sémites, de retour d'Égypte, en venaient naturellement à adopter, dans leur langue, des mots égyptiens comme *neteri* qui donna natron, ou encore *ideni* qui devint **etum,** le lin rouge. Il y avait aussi des échanges en retour, telle l'utilisation de certains objets usuels, empruntés par les Égyptiens à leurs proches voi-

Harpes royales
Des images des plus belles harpes égyptiennes ornaient un des murs du caveau de Ramsès III. Le harpiste se tenait naturellement debout.
Tombe de Ramsès III
XXᵉ dynastie
Vallée des Rois (Thèbes-Ouest)

sins, comme la lyre par exemple. On la voit apparaître dans la peinture de Béni Hasan et on la retrouve dans les mains des musiciennes égyptiennes, dès le début du Nouvel Empire. En revanche, la harpe qui convient parfaitement à un peuple sédentaire, apparaît directement en Égypte dans les compositions des concerts de l'Ancien Empire. Elle est jouée posée à terre, presque horizontalement. Au cours du temps, elle gagne en volume et en beauté, pour atteindre, au Nouvel Empire, l'aspect qu'elle présente encore aujourd'hui, dans les mains et les bras des musiciennes occidentales qui la tiennent en position verticale, pour embrasser sa magnifique caisse de résonance. C'est ainsi, qu'elle gagna notre Occident moderne, avec des améliorations de détails.

Harpe classique
Instrument de musique
typiquement égyptien.
Ses dimensions évoluent
durant toute l'histoire
égyptienne. A l'Ancien
Empire, la harpe, petite
et naviforme, se joue posée
à terre. Au Nouvel Empire,
elle a déjà atteint la forme
d'un bel instrument.
Le musicien se tient alors
debout.
Bois, cuir, cordes (modernes)
XVIIIe dynastie
Musée du Louvre

Ce dont les Égyptiens bénéficièrent, dès la disparition de l'occupation hyksôs du sol égyptien, fut le très précieux apport de la présence asiatique : l'utilisation du cheval et, partant, l'emploi du char au double attelage.

Mais au contact des Égyptiens, les occupants sémites repartirent chez eux chargés de nouvelles coutumes et enrichis d'expressions introduites dans leur langage. C'est ainsi qu'ils adoptèrent la pratique de la circoncision, déjà connue des habitants de la terre d'Égypte à l'Ancien Empire. De même qu'ils héritèrent des bienfaits de la médecine égyptienne, dont Hérodote rappelait qu'« ils [les médecins] en possédaient une connaissance large et profonde ».

Les noms propres, affectés aux personnes, commencèrent à circuler entre les deux ethnies. Ainsi, les Sémites, installés en Égypte, se mirent-ils à donner à leurs enfants, nés sur la Terre de *Kémi*, (le Pays de la Terre Noire), des noms égyptiens légèrement transformés. Merari ou Merrou furent tirés du mot *mery*, « aimer ». Il faut aussi décomposer le mot Pachehor, pour retrouver son origine de *pa-ché-Hor*, à savoir : « Portion d'Horus ». On utilise aussi des noms mixtes, tel Putial, venant de l'égyptien *pa-di-El*, soit « Celui, que le [dieu] El a donné ». J'ai déjà fait allusion au nom Pinéhas, tiré de l'égyptien *pa-nehesy*, « L'homme à la peau foncée », ou encore à des noms retrouvés dans la Bible, ainsi Sushana qui donna Suzanne et qui est tiré du nom égyptien du nénuphar bleu *sechen*, sans oublier celui du mari de la femme volage de l'« eunuque » de Pharaon, Putiphar, formé sur *pa-di-pa-Râ*, à savoir, « Celui que Rê a donné », autrement dit : « Dieudonné », auquel il faut encore ajouter le nom de la femme de Joseph, Asenath, composé de *n (y)-s (y)-Neith*, « Elle appartient à la (déesse) Neith ».

En Égypte, les sages avaient la réputation d'atteindre les cent dix ans, âge que la Bible reconnut à Joseph, comme à Josué.

Les usages qui concernaient le **deuil**, n'avaient pas davantage échappé aux Sémites. Ainsi, lorsqu'un décès survenait, les hommes de la famille devaient laisser pousser leur barbe pendant un nombre de jours déterminé ; coutume encore respectée de nos jours par certains Israélites : pour les uns comme pour les autres,

les deuillants se couvraient la tête de poussière et utilisaient les services de pleureuses (et même, parfois, de pleureurs), pour montrer leur affliction. Les hommes adoptaient une attitude commune, consistant à se recroqueviller sur eux-mêmes, « la tête sur les genoux » : *djadja* (ou : *tep*)-*her-maset*.

En Égypte, **l'onction** était un témoignage de la plus grande importance. Pharaon, le premier, la recevait en consécration au moment de son sacre ; de même, la princesse hittite reçut l'onction, que Ramsès lui délégua par son ambassadeur au moment de leurs fiançailles. Le souverain pouvait aussi faire bénéficier tel haut fonctionnaire de son règne de l'onction royale, versée sur sa tête. Lorsque Pharaon reconnaissait la royauté d'un vassal étranger, il lui faisait verser l'huile de lotus sur la tête.

Cette pratique de l'onction fut adoptée par les Hébreux, en lui affectant une interprétation très significative, réservée au roi seul, lequel, en la recevant, devenait le vassal de Yahvé.

Pleureuses sur un bateau
Le témoignage le plus visible de l'affliction, au moment d'un décès, est celui des pleureuses – et, parfois, des pleureurs. Elles envahissent la maison, puis le cortège funèbre et l'entrée de la tombe. Elles pleurent, crient, chantent les louanges du disparu et couvrent leur tête de la poussière de la route.
Durant leur séjour en Égypte, les Hébreux empruntèrent cet usage funéraire.
C'est ici le dernier passage du Nil avant d'arriver à la tombe.
Peinture de tombe
XVIIIe-XIXe dynastie
Thèbes-Ouest

On retrouve par ailleurs, dans les textes bibliques, des expressions empruntées aux Égyptiens et qui ont inspiré leurs voisins sémites. Ainsi, Yahvé promet-il à Jérémie (15,20), de faire de lui « un mur fortifié de bronze ». Or, bien avant, quand il était question de définir le rempart infranchissable, que Pharaon incarna et opposa à tout danger, c'était, en égyptien, « le mur de bronze », (de fer, ou d'airain), dit, le plus souvent, *sebty n bia en pet*, « le mur de miracle du ciel », le fer météorite.

Ces dernières allusions aux pieux écrits de la Bible devaient nous inciter à nous interroger plus avant sur les réelles relations entretenues entre les Égyptiens et les plus proches de leurs voisins de l'est, les Sémites.

Grâce à d'humbles inscriptions à caractère magique, tracées par les Égyptiens pour se défendre d'agglomérations sémitiques éventuellement hostiles, nous apprenons que, contemporaines de la XIIIᵉ dynastie, les villes de Sichem, d'Ascalon et, surtout, de Jérusalem, existaient à cette époque, alors que les écrits bibliques situaient leur fondation, par David, à une époque bien plus reculée !

Mais où pouvons-nous repérer, dans les vestiges archéologiques qui nous sont parvenus, les preuves des conditions dans lesquelles les Hébreux, **supposés** être détenus en servitude, accablés de détresse, écrasés de sévices, auraient été contraints de fabriquer dans une zone désertique, loin du Nil, les briques de terre crue pour les constructions de Pharaon ?

Adieu au mort
Les plus sonores manifestations
des pleureuses et de la veuve
se déchaînent à l'instant
où la momie est dressée
devant la tombe.
Peinture de tombe
XIXᵉ dynastie – Thèbes-Ouest

Ainsi que je l'ai déjà rappelé à plusieurs reprises, et aussi à l'occasion de l'exposition « Ramsès le Grand » à Paris (où j'ai repris le sujet), la réalité était tout autre. Une peinture, ornant un mur de la chapelle funéraire de Rekhmara, vizir de Thoumosis III, reproduit même une scène édifiante où les ouvriers sémites et égyptiens travaillent, côte à côte, fraternellement et librement, à la fabrication des briques. Ils s'affairent aussi ensemble à l'édification d'un mur.

Ailleurs, à la XIXᵉ dynastie suivante, celle des Ramsès, les Bédouins, voisins de l'Égypte, traversèrent plus fréquemment la frontière, appelée « les murs du prince », espérant se faire engager par contrat sur les chantiers de Pharaon et pour des durées déterminées. Ils venaient transporter les gros blocs de pierre, afin de construire les temples de la capitale nordique du roi. Naturellement, je ne fais pas ici allusion aux nombreux Cananéens, Sémites égyptianisés et chargés d'importantes fonctions de confiance auprès du Palais de Pharaon.

Chantier de maçons
On peut constater que les légendes peuvent véhiculer des contrevérités. La scène représentée montre bien **l'égalité totale** entre travailleurs sémites, à la petite barbe pointue et à la peau plus claire, et le fellah imberbe et au teint plus sombre. Il n'y a aucune marque de servitude chez les premiers. Rekhmara d'après Champollion

La réalité, dévoilée par les fouilles exécutées en Égypte et, surtout, récemment en Israël, par les archéologues israéliens : Israël Funkelstein et Neil Asher Silbermann (cf. *La Bible dévoilée*, éditions Fayard), nous permet d'être assurés que les récits bibliques sont, avant tout, établis tardivement d'après certains thèmes imaginatifs à la lointaine origine historique, et préparés pour conforter la naissance désirée, autant qu'effective, d'une nation.

Il faut donc en arriver aussi à interroger la Bible dans les récits où elle situe la miraculeuse aventure de Joseph, fils de Jacob (Israël), ou

Détail de l'illustration précédente
Tombe du vizir Rekhmara
XVIIIe dynastie – Thèbes-Ouest

encore l'action semble-t-il légendaire de Moïse, pour retrouver ce que l'Égypte a pu léguer au peuple d'Israël. En effet, **après la publication de la Sainte Bible**, donc avant le déchiffrement des hiéroglyphes par Champollion (1822), **aucun autre texte ne nous était parvenu concernant l'antique Égypte** ; on ignorait même le nom de **Pharaon**, titre donné aux souverains d'Égypte et que la Bible fut la première à nous faire connaître. Le mieux est de se reporter directement au texte du Pentateuque.

La circoncision
La circoncision est une coutume égyptienne. On sait qu'Abraham attendit de venir en Egypte pour se faire circoncire, à l'âge de 75 ans ! comme il a déjà été dit.

Abraham en Égypte – Genèse 12,1...

Son nom originel était *Abram*, changé en Abraham après sa circoncision ; son épouse *Saraï* devint alors Sarah. Voici le texte.

« Yahvé dit à Abram [...] quitte ton pays [...] pour le pays, que je t'indiquerai. » Abram partit, [...] comme lui avait dit Yahvé. Abram avait soixante-quinze ans, lorsqu'il quitta Harân. Abram prit sa femme Saraï, [...] tout l'avoir qu'ils avaient amassé et le personnel, qu'ils avaient acquis à Harân. Ils se mirent en route pour le pays de Canaan et ils y arrivèrent [...] Puis, de campement en campement, Abram alla au Néguev.

Genèse 12,10

Il y eut une famine dans le pays et Abram descendit en Égypte pour y séjourner, car la famine pesait lourdement sur le pays. Lorsqu'il fut prêt d'entrer en Égypte, il dit à sa femme Saraï : « Vois-tu, je sais que tu es une femme de belle

apparence. Quand les Égyptiens te verront, ils diront :
"c'est sa femme" et ils me tueront et te laisseront en vie.
Dis, je te prie, que tu es ma sœur, pour qu'on me traite bien
à cause de toi et qu'on me laisse en vie par égard pour
toi. » De fait, quand Abram arriva en Égypte, les Égyptiens
virent que la femme était très belle. Les officiers de Pharaon la virent et le racontèrent à Pharaon et la femme fut
emmenée au Pharaon, au palais de Pharaon. Celui-ci traita
bien Abram à cause d'elle : il eut du petit et du gros bétail,
des esclaves, des servantes, des ânesses, des chameaux.
Mais Yahvé frappa Pharaon de grandes plaies, et aussi sa
maison, à propos de Saraï, la femme d'Abram. Pharaon
appela Abram et lui dit : « Qu'est-ce que tu m'as fait ? Pourquoi ne m'as-tu pas déclaré qu'elle était ta femme ?
Pourquoi as-tu dit : "Elle est ma sœur", en sorte, que je l'ai
prise pour femme ? Maintenant, voilà ta femme, prends-la
et va-t-en ! » Pharaon le confia à des hommes qui le recon-
duisirent à la frontière, lui, sa femme et tout ce qu'il
possédait.

À la lecture de cette histoire, on constatera
combien l'Égypte représentait la « Terre de prédilection » pour ses immédiats voisins, les
Bédouins du désert de Canaan, si peu favorisés
par le climat et par leur environnement. Tout au
début de leur séjour sur la terre de Pharaon, leur
comportement devait sembler bien étrange aux
Égyptiens, aux mœurs de sédentaires plus adou-
cies et à la civilisation déjà frôlée par les ailes de
l'humanisme. Que l'on juge du comportement
de ces « gardiens de gros et de petit bétail » à
propos de la vie opulente, assez cyniquement
acceptée par le patriarche Abraham et due à la
position exceptionnelle, occupée par sa femme
auprès de Pharaon !

Cependant, Yahvé veillait avec la plus grande attention aux écarts de ses enfants. Suivons maintenant celui que Yahvé inspira sur les rives du Nil.

Joseph et ses frères – Genèse 37,1

Joseph avait dix-sept ans. Il gardait le petit bétail avec ses frères, - il était jeune - avec les fils de Bilba et les fils de Zilpa, femmes de son père, et Joseph rapporta à leur père le mal qu'on disait d'eux.

Israël (Jacob) aimait Joseph plus que tous ses autres enfants, car il était le fils de sa vieillesse, et il lui fit faire une tunique ornée. Ses frères virent que son père l'aimait plus que tous les autres fils et ils le prirent en haine.

Or, Joseph eut un songe et il en fit part à ses frères qui le haïrent encore plus. Il leur dit : « Ecoutez le rêve que j'ai fait. Il me paraissait, que nous étions à lier des gerbes dans les champs. Et voici, que ma gerbe se dressa et se tint debout, et vos gerbes l'entourèrent et elles se prosternèrent devant ma gerbe. » Ses frères lui répondirent : « Voudrais-tu donc régner sur nous en roi ou bien dominer en maître ? » Et ils le haïrent encore plus, à cause de ses rêves et de ses propos. Il eut encore un autre songe, qu'il raconta à ses frères. Il dit : « J'ai encore fait un rêve. Il me paraissait, que le soleil, la lune et onze étoiles se prosternaient devant moi ! » Il raconta cela à son père et à ses frères, mais son père le gronda et lui dit : « En voilà un rêve, que tu as fait ! Allonsnous donc, moi, ta mère et tes frères, venir nous prosterner à terre devant toi ? » Ses frères furent jaloux de lui, mais son père garda la chose dans sa mémoire.

Joseph vendu par ses frères – Genèse, 37,12

Ses frères allèrent faire paître le petit bétail de leur père à Sichem. Israël dit à Joseph : « Tes frères ne sont-ils pas au pâturage à Sichem ? Viens, je vais t'envoyer vers eux. » Et il répondit : « Je suis prêt ». Il lui dit : « Va donc voir comment se portent tes frères et le bétail et rapporte-moi des nouvelles. » Il l'envoya de la vallée d'Hébron et Joseph arriva à Sichem....

Entre-temps, ses frères s'étaient rendus à Dotân. Joseph partit en quête de ses frères et les trouva à Dotân…

Genèse 37,18

Ils l'aperçurent de loin et avant qu'il arriva près d'eux, ils complotèrent de le faire mourir. Ils se dirent entre eux : « Voilà l'homme aux songes qui arrive ! Maintenant, venez, tuons-le et jetons-le dans n'importe quelle citerne ; nous dirons qu'une bête féroce l'a dévoré. Nous allons voir ce qu'il adviendra de ses songes. »

Mais Ruben entendit et il le sauva de leurs mains. Il dit : « N'attentons pas à sa vie ». Ruben leur dit : « Ne répandez pas le sang ! Jetez-le dans cette citerne du désert, mais ne portez pas la main sur lui ! » C'était pour le sauver de leurs mains et le ramener à son père. Donc, lorsque Joseph arriva près de ses frères, ils le dépouillèrent de sa tunique, la tunique ornée, qu'il portait. Ils se saisirent de lui et le jetèrent dans la citerne. C'était une citerne vide, où il n'y avait pas d'eau. Puis ils s'assirent pour manger.

Comme ils levaient les yeux, voici qu'ils aperçurent une caravane d'Ismaélites qui venait de Galaad. Leurs chameaux étaient chargés de gomme adragante, de baume et de laudanum, qu'ils allaient livrer en Égypte. Alors Juda dit à ses frères : « Quel profit y aurait-il à tuer notre frère et à cacher son sang ? Venez, vendons-le aux Ismaélites, mais ne portons pas la main sur lui : il est notre frère, de la même chair que nous ! » Et ses frères l'écoutèrent.

Or, des marchands passèrent, des marchands madianites, et ils tirèrent Joseph de la citerne. Ils vendirent Joseph aux Ismaélites pour vingt sicles d'argent, et ceux-ci le conduisirent en Égypte. Lorsque Ruben retourna à la citerne, voilà que Joseph n'y était plus ! Il déchira ses vêtements et, revenant vers ses frères, il dit : « L'enfant n'est plus là et moi, où vais-je aller ? »

Ils prirent la tunique de Joseph et, ayant égorgé un bouc, ils trempèrent la tunique dans le sang. Ils envoyèrent la tunique ornée, ils la firent porter à leur père avec ces mots : « Voilà ce que nous avons trouvé ! Regarde, si ce ne serait pas la tunique de ton fils. » Celui-ci regarda et dit : « C'est la tunique de mon fils ! Une bête féroce l'a dévoré, Joseph a été mis en pièces ! » Jacob déchira ses vêtements, mit un sac sur ses reins et fit le deuil de son fils pendant longtemps. Tous ses fils et ses filles vinrent pour le consoler, mais il refusa toute consolation et dit : « Non, c'est en deuil que je veux descendre au *sheol* auprès de mon fils. » Et son père le pleura.

Les débuts de Joseph en Égypte
Genèse 39,1

Joseph avait donc été emmené en Égypte. Putiphar, eunuque de Pharaon et grand sommelier, un Égyptien, l'acheta aux Ismaélites qui l'avaient emmené là-bas. Or, Yahvé assista Joseph, à qui tout réussit, et il resta dans la maison de son maître, l'Égyptien. Comme son maître voyait, que Yahvé l'assistait et faisait réussir entre ses mains tout ce qu'il entreprenait, Joseph trouva grâce à ses yeux ; il fut attaché au service du maître qui l'institua son majordome et lui confia tout ce qui lui appartenait. Et à partir du moment où il l'eut préposé à sa maison et à ce qui lui appartenait, Yahvé bénit la maison de l'Égyptien en considération de Joseph ; la bénédiction de Yahvé atteignit tout ce qu'il possédait à la maison et aux champs. Alors il abandonna entre les mains de Joseph tout ce qu'il avait et, avec lui, il ne se préoccupa plus de rien, sauf de la nourriture, qu'il prenait.

Joseph avait une belle prestance et un beau visage.

L'histoire a pénétré dans l'atmosphère égyptienne, à commencer par l'utilisation du nom de Potiphar, formé, comme on le sait, sur le composé égyptien *pa-di-pa-râ*, ce qui signifie « Celui que le dieu (Râ) a donné », autrement dit « Dieu-donné », comme nous l'avons vu plus haut.

Ce dernier devait être investi d'une mission de confiance au palais, probablement auprès de la « Maison des Dames royales » ; mais les eunuques n'existaient pas en Égypte. Sans doute le rédacteur du texte fut-il influencé, à ce propos, par ce titre, rencontré au palais de Jérusalem ou à la cour d'Iran.

Quant au nom de **Pharaon**, c'est la Bible, répétons-le, qui nous l'a fait connaître, bien avant que Champollion déchiffre les inscriptions hiéroglyphiques au début du XIXe siècle. Le nom se compose de deux mots *per-aâ*, transformés par les Grecs en *pher-ao*, devenu Pharaon. Il signifie « La Grande Maison ». Ce terme fut utilisé au début du Nouvel Empire, pour désigner le **Palais** pendant la corégence d'Hatshepsout et de son neveu Thoutmosis III. Par extension, son emploi servit à désigner le souverain qui réside dans cette « Grande Maison » ; identification encore actuelle et comparable à « La Maison Blanche », « L'Élysée », etc.

Joseph et la séductrice
Genèse 39,7,20

Il arriva, après ces événements, que la femme de son maître jeta les yeux sur Joseph et dit : « Couche avec moi ». Mais il refusa et dit à la femme de son maître : « Avec moi, mon maître ne se préoccupe pas de ce qui se passe à la maison, et il m'a confié tout ce qui lui appartient. Lui-même n'est pas plus puissant que moi dans cette maison : il ne m'a rien interdit que toi, parce que tu es sa femme. Comment pourrais-je accomplir un aussi grand mal et pécher contre Dieu ? » Bien qu'elle parlât à Joseph chaque jour, il ne consentit pas à coucher à son côté, à se donner à elle.

Or, un certain jour, Joseph vint à la maison pour faire son service et il n'y avait là, dans la maison, aucun des domestiques. La femme le saisit par un vêtement en disant : « Couche avec moi ! » Mais il abandonna le vêtement entre ses mains, prit la fuite et sortit. Voyant qu'il avait laissé le vêtement entre ses mains et qu'il s'était enfui dehors, elle appela ses domestiques et leur dit : « Voyez cela ! Il nous a amené un Hébreu pour badiner avec nous ! Il m'a approchée pour coucher avec moi, mais j'ai poussé un grand cri, et en entendant que j'élevais la voix et que j'appelais, il a laissé son vêtement près de moi, il a pris la fuite et il est sorti. »

Elle déposa le vêtement à côté d'elle, en attendant que le maître revienne à la maison, alors elle lui dit les mêmes paroles : « L'esclave hébreu, que tu nous a amené, m'a approché pour badiner avec moi et quand j'ai élevé la voix et appelé, il a laissé son vêtement près de moi et il s'est enfui dehors. » Lorsque le mari entendit ce que lui disait sa femme : « Voilà de quelle manière ton esclave a agi envers moi », sa colère s'enflamma. Le maître de Joseph le fit saisir et mettre en geôle, là où étaient détenus les prisonniers du roi.

Avec l'intervention de la femme de Putiphar, l'anecdote entre dans le vif du sujet. Le rédacteur s'est directement inspiré d'un des passages les plus vivants du **Conte des Deux Frères** (cf. le papyrus d'Orbiney, conservé au British Museum). C'est un des récits aux épisodes les plus mouvementés de l'époque ramesside égyptienne. Il s'agit d'une histoire populaire, connue dès la XIXᵉ dynastie, où le héros, travaillant pour son grand frère, est provoqué, dans des circonstances exactement analogues, par l'épouse de ce dernier. Cependant, plutôt que d'être incarcéré comme le sera Joseph, il s'enfuit et traverse alors des situations inattendues, étranges, merveilleuses.

D'après le texte de la Bible, Joseph fut probablement mis en résidence surveillée dans la citadelle de Tcharou (Silé), située à la limite orientale du delta, c'est-à-dire à l'extrême pointe de l'important poste frontière, non loin d'Avaris, la capitale des envahisseurs hyksôs. Plus tard, ces lieux jouxtèrent Pi-Ramsès, capitale de Ramsès II.

Joseph en prison – Genèse 39,30

Ainsi, il demeura en geôle, mais Yahvé assista Joseph, il étendit sur lui sa bonté et lui fit trouver grâce aux yeux du geôlier chef. Le geôlier chef confia à Joseph tous les détenus qui étaient en geôle ; tout ce qui s'y faisait se faisait par lui. Le geôlier chef ne s'occupait en rien de ce qui lui était confié, parce que Yahvé l'assistait et faisait réussir ce qu'il entreprenait.

Joseph interprète les songes des officiers de Pharaon – Genèse 40,1-20

Il arriva, après ces événements, que l'échanson du roi d'Égypte et son panetier se rendirent coupables envers leur maître, le roi d'Égypte. Pharaon s'irrita contre ces deux eunuques, le grand échanson et le grand panetier. Il les mit aux arrêts chez le commandant des gardes, dans la geôle où Joseph était détenu. Le commandant des gardes leur adjoignit Joseph, pour qu'il les servît et ils restèrent un certain temps aux arrêts.

Or, une même nuit, tous deux eurent un songe ayant pour chacun sa signification, l'échanson et le panetier du roi d'Égypte qui étaient détenus dans la geôle. Venant les trouver le matin, Joseph s'aperçut qu'ils étaient maussades et il demanda aux eunuques de Pharaon qui étaient avec lui aux arrêts chez son maître : « Pourquoi faites-vous mauvais visage aujourd'hui ? » Ils lui répondirent : « Nous avons fait un songe et il n'y a personne pour l'interpréter. » Joseph leur dit : « C'est Dieu qui donne l'interprétation ; mais racontez-moi donc ! »

Le grand échanson raconta à Joseph le songe, qu'il avait eu : « J'ai rêvé », dit-il, « qu'il y avait devant moi un cep de vigne, et sur ce cep trois sarments ; dès qu'il bourgeonna, il monta en fleur, ses grappes firent mûrir les raisins. J'avais en main la coupe de Pharaon et je mis la coupe dans la main de Pharaon. » Joseph lui dit : « Voici, ce que cela signifie. Les trois sarments représentent trois jours. Encore trois jours et Pharaon te relèvera la tête et il te rendra ton emploi. Tu mettras la coupe de Pharaon dans sa main, comme tu avais coutume de faire autrefois où tu étais son échanson. Souviens-toi de moi, lorsqu'il te sera arrivé du bien, et sois assez bon pour parler de moi à Pharaon, qu'il me fasse sortir de cette maison. En effet, j'ai été enlevé du pays des Hébreux, et ici même je n'ai rien fait pour qu'on me mette en prison. »

Papyrus littéraire contenant le premier *livre des songes.*
Nouvel-Empire
Collection Chester Beatty

Le grand panetier vit, que c'était une interprétation favorable et il dit à Joseph : « Moi aussi, j'ai rêvé. Il y avait trois corbeilles de gâteaux sur ma tête. Dans la corbeille de dessus, il y avait toutes sortes de pâtisseries, que mange Pharaon, mais les oiseaux les mangeaient dans la corbeille, sur ma tête. » Joseph lui répondit ainsi : « Voici ce que cela signifie. Les trois corbeilles représentent trois jours et Pharaon t'enlèvera la tête, il te pendra au gibet, et les oiseaux mangeront la chair de dessus de toi. »

Effectivement, le troisième jour qui était l'anniversaire de Pharaon, celui-ci donna un banquet à tous ses officiers, et il relâcha le grand échanson et le grand panetier au milieu de ses officiers. Il rétablit le grand échanson dans son échansonnerie et celui-ci mit la coupe dans la main de Pharaon. Quant au grand panetier, il le pendit, comme Joseph le lui avait expliqué. Mais le grand échanson ne se souvint pas de Joseph, il l'oublia...

Il eût été surprenant qu'un jeune Bédouin, plus rompu à la garde des troupeaux de son père qu'initié en oniromancie, ait pu si facilement interpréter les songes de ses nobles camarades de geôle. Mais il le déclara lui-même : « C'est Dieu qui donne l'interprétation ». Il n'est que l'intermédiaire. Les vieux Égyptiens enseignaient, que « les rêves de nuits et de jours, constituaient des armes contre les coups du sort ». Cette étude des rêves était une science pratiquée en Égypte par les prêtres savants et vulgarisée, au Nouvel Empire, par une véritable « clé des songes », ainsi que le papyrus Chester Beatty III permet de le constater.

Le terme employé dans la Bible pour définir ces prêtres savants était *hartoummin*, vocable qui correspondait au titre égyptien des prêtres lecteurs en chef, les *hery-heb-tepy*. C'étaient des ritualistes de la célèbre « Maison de Vie », la *per-ankh*, sorte d'université aux activités théologiques et scientifiques.

Les songes de Pharaon – Genèse 41, 1 à 36

Deux ans après il advint, que Pharaon eut un songe : il se tenait près du Nil et il vit monter du Nil sept vaches de belle apparence et grasses de chair qui pâturèrent dans le fourré de papyrus (ou de joncs ?). Voici, que sept autres vaches montèrent derrière elles, laides d'apparence et maigres de chair. Elles se rangèrent à côté des premières sur la rive du Nil. Et les vaches maigres d'apparence et maigres de chair dévorèrent les sept vaches grasses et belles d'apparence. Alors Pharaon s'éveilla.

Il se rendormit et eut un second songe. Sept épis montaient d'une même tige, gros et beaux ; mais, voici que sept épis grêles et brûlés par le vent de l'est, poussèrent après eux. Et les sept épis grêles engloutirent les sept épis gros et pleins. Pharaon s'éveilla, c'était un rêve !

Au matin, l'esprit troublé, Pharaon fit appeler tous les magiciens et les savants d'Égypte, et il leur raconta son rêve. Mais personne ne put l'expliquer à Pharaon.

Alors le grand échanson adressa la parole à Pharaon et dit : « Je confesse ma faute. Lorsque Pharaon s'était irrité contre ses serviteurs et les avait mis aux arrêts chez le commandant des gardes, moi et le grand panetier, nous eûmes un songe la même nuit, mais différent pour chacun. Il y avait là un jeune Hébreu, un esclave du grand sommelier. Nous lui avons raconté nos rêves et il nous les a interprétés à chacun de nous. Je fus rétabli dans mon emploi et l'autre fut pendu ».

Alors Pharaon fit appeler Joseph et on l'amena en hâte de la prison. Il se rasa, changea de vêtements et se présenta devant Pharaon. Pharaon dit à Joseph : « J'ai eu un songe et personne ne peut l'interpréter. J'ai entendu dire qu'il te suffit d'entendre un songe pour savoir l'interpréter ». Joseph répondit à Pharaon : « Je ne compte pas, c'est Dieu qui donnera à Pharaon une réponse favorable. »

Alors Pharaon parla ainsi à Joseph : « Dans mon songe, il me semblait que je me tenais sur la rive du Nil. Voici que montèrent du Nil sept vaches grasses de chair et belles d'aspect qui pâturèrent dans les papyrus (ou joncs). Mais voici que sept autres vaches montèrent après elles, efflanquées et très laides d'aspect et maigres de chair : je n'en ai jamais vu d'aussi laides dans tout le pays d'Égypte. Les vaches maigres et laides dévorèrent les sept premières, les vaches grasses. Et lorsqu'elles les avaient avalées, on ne s'aperçut pas qu'elles les avaient avalées, car leur apparence était aussi laide qu'au début. Là-dessus je m'éveillai. Puis j'ai vu en songe sept épis monter d'une même tige, pleins et beaux. Mais voici que sept épis desséchés, grêles et brûlés par le vent d'est, poussèrent après eux. Et les épis grêles engloutirent les sept beaux épis. Je dis cela aux magiciens, mais il n'y eût personne qui me donnât la solution. » Joseph lui dit : « Le songe de Pharaon ne fait qu'un seul songe. Dieu a annoncé à Pharaon ce qu'il va accomplir. Les sept belles vaches représentent sept années, et les sept beaux épis représentent sept années : c'est un seul et même songe. Les sept vaches maigres et laides qui montent ensuite, représentent sept années et aussi les sept épis grêles et brûlés par le vent d'est : c'est qu'il y aura sept années de famine, c'est ce que j'ai dit à Pharaon. Dieu a montré à Pharaon ce qu'il va accomplir. Voici, que viennent sept années où il y aura grande abondance dans tout le pays d'Égypte. Puis, leur succéderont sept années de famine et on oubliera toute l'abondance dans le pays d'Égypte. La famine épuisera le pays et l'on ne saura plus ce qu'était l'abondance dans le pays, en face de cette famine qui suivra, car elle sera très dure. Et si le songe de Pharaon s'est renouvelé deux fois, c'est que la chose est bien décidée de la part de Dieu et que Dieu a hâte de l'accomplir.

Maintenant que Pharaon discerne un homme intelligent et sage, et qu'il l'établisse sur le pays d'Égypte. Que Pharaon agisse et qu'il institue des fonctionnaires sur le pays d'Égypte pendant les sept années d'abondance ; ils ramasseront tous les vivres de ces bonnes années qui viennent, ils emmagasineront le blé sous l'autorité de Pharaon, ils mettront les vivres dans les villes et les y garderont. Ces vivres serviront de réserve au pays pour les sept années de famine qui s'abattront sur le pays d'Égypte et le pays ne sera pas exterminé par la famine. »

En analysant les éléments qui avaient inspiré les rêves de Pharaon, on retrouve les sujets propres à un contexte égyptien, à commencer par un symbole animal très typique, lui aussi emprunté à la pensée égyptienne, mais qui n'apparaît qu'à partir du Nouvel Empire : celui des sept vaches grasses. Parmi les « vignettes », destinées à illustrer les nombreux chapitres du « Livre des Morts » de la XVIII\ :sup:`e` dynastie, celle qui se rapporte aux sept magnifiques bovidés – accompagnés néanmoins par le taureau fertiliseur du troupeau, – est la plus originale. Elle devait rappeler l'arrivée de sept bienfaisantes inondations, sept « bons Nils », suivant la formule des anciens Égyptiens. Les sept vaches maigres ne pouvaient y avoir leur place, car, évoquant les « mauvais Nils », cela aurait représenté une image néfaste et risqué, en la faisant vivre, de la rendre dangereuse.

Les sept vaches et le taureau
Au début du Nouvel Empire apparaît la première composition du *Livre des Morts*. Un des chapitres des plus importants est celui des Sept Vaches, symbolisant les sept bonnes crues consécutives du Nil, associées au taureau fécondateur.
Papyrus de Maïherpéra – XVIIIe dynastie – Musée du Caire

Les sept vaches du caveau de Nofretari
Jugé par Ramsès II comme le chapitre le plus éminent du « guide de l'au-delà » (*le Livre des Morts*), le souverain consacra, à sa représentation, un mur entier du sépulcre de la reine. Ce tableau devait immédiatement faire penser aux sept bonnes années d'Inondation et donc matérialiser, pour l'Égyptien, un souhait essentiel.
Tombe de Nofretari
XIXᵉ dynastie – Vallée des Reines (Thèbes-Ouest)

Plus tard, à la XIXᵉ dynastie, on retrouve encore, sur un des murs du joyau de la Vallée des Reines (face à Louxor), la tombe de Nofretari, le même tableau, composé de sept magnifiques et plantureuses vaches aux robes tachetées. Elles servent, en cet emplacement, à exprimer un des vœux que la souveraine aspirait à voir se réaliser après son décès : que son âme revienne chaque année au Jour de l'An, avec l'Inondation nouvelle ; que cette Inondation soit éternellement bénéfique à son destin d'outre tombe et à la vie du pays. Mais c'était exprimer un souhait dont on ne pouvait pas toujours être assuré de la réalisation… terrestre !

Observateurs vigilants de la nature, les Égyptiens avaient constatés que sept inondations successives bénéfiques étaient régulièrement suivies par sept plus ou moins médiocres crues. (Le même phénomène continue à se produire de nos jours, mais en raison du nouveau barrage qui empêche l'inondation de se répandre sur toute l'Égypte, le lac de retenue du Haut Barrage alimente l'Égypte en eau toute l'année.)

Parfois même la pauvreté de certaines crues pouvait provoquer de redoutables famines. Pour des raisons magiques et surtout lorsqu'il s'agissait d'illustrer des textes funéraires, – le « Livre des Morts », par exemple –, il n'était pas possible aux Anciens de faire allusion, par le texte ou par l'image, à ce danger auquel ils s'efforçaient d'échapper. Il en ressort que, à l'époque où les auteurs du livre de la Genèse ont rédigé l'histoire de Joseph, ils pouvaient ignorer le rythme et le cycle des crues du Nil. De surcroît, certains détails du récit montrent, qu'**ils étaient, sans doute, déjà éloignés de l'Égypte**, et n'avaient gardé en mémoire que son climat et le **résultat** évoqué par les bonnes ou mauvaises **moissons, mais non pas le régime des crues**, dont elles dépendaient directement.

Un autre détail encore, dont il faut tenir compte : le **vent d'est**, cité dans le texte, qui brûle les épis. En réalité, c'est le **vent du sud**, le *khamsin,* (comme le sirocco en Afrique du Nord), qui peut créer ce désordre. Il y a là une confusion : le vent de l'est agit en Palestine, comme celui du sud en Égypte, avec les mêmes effets dévastateurs.

Ces traditions, rapportées avec une certaine confusion, nous permettent de penser que les Hébreux ne vivaient plus sur les bords du Nil, lorsque ces textes furent écrits. Ils montrent que leurs « rapporteurs » se fondaient sur des souvenirs non vécus par eux-mêmes et qu'ils ont ajouté au seul tableau égyptien des vaches grasses, celui des vaches squelettiques, nécessaire à une meilleure compréhension et destiné à ceux qui n'avaient jamais été les témoins du phénomène très particulier de la crue en Égypte.

Si l'on songe à ce qui a été exposé plus haut, si l'on tient compte de l'incident, décrit par les Hébreux, d'une des aventures de « Madame Putiphar », si l'on considère l'apport considérable fourni par l'histoire complète de Joseph en Égypte, si même on se remémore qu'Abram ne fut circoncis qu'à soixante-quinze ans et après son séjour en Égypte, alors on est autorisé à envisager la très notoire contribution apportée par l'Égypte à l'histoire de la formation de ces Bédouins qui ont acquis progressivement certains bienfaits de la civilisation, héritée de l'heureux peuple de sédentaires égyptiens.

L'élévation de Joseph par Pharaon
Genèse 41, 37 – 57

Le discours [de Joseph] plut à tous les officiers et Pharaon dit à ses officiers : « Trouvons-nous un homme comme celui-ci, en qui soit l'esprit de Dieu. » Alors Pharaon dit à Joseph : « Après que Dieu t'a fait connaître tout cela, il n'y a personne d'intelligent et de sage comme toi. C'est toi qui seras mon maître du Palais et tout mon peuple se conformera à tes ordres. Je ne te dépasserai que par le trône. » Et Pharaon dit encore à Joseph : « Vois, je t'établis sur tout le pays d'Égypte ». Et Pharaon ôta son anneau de sa main et le mit à la main de Joseph. Il le revêtit de l'habit de lin fin, et lui passa au cou le collier d'or. Il le fit monter sur le meilleur char qu'il avait après le sien et on criait devant lui : « Abrak ! ». Ainsi fut-il établi sur tout le pays d'Égypte.

Pharaon dit à Joseph : « Je suis Pharaon, mais sans ta permission personne ne lèvera la main ni le pied dans tout le pays d'Égypte ». Et Pharaon imposa à Joseph le nom de Safnath-**Paneah** et lui donna comme femme

Préparation du terrain agricole
Sitôt les quatre mois
de l'inondation terminés,
Joseph partait en inspection,
afin de s'assurer de la bonne
préparation des terrains
en vue des semailles.
Relief peint de la chapelle
funéraire de Paheri El Kab
Début XVIIIᵉ dynastie

Le labour
Joseph tenait à faire
travailler le terrain
à la pioche (tourie).
Relief peint de la chapelle
funéraire de Paheri El Kab
Début XVIIIᵉ dynastie

Travail de la charrue
Avant les semailles, Joseph
veille à ce que la charrue
travaille toute l'étendue
du pays.
Relief peint de la chapelle
funéraire de Paheri El Kab
Début XVIIIᵉ dynastie

Début de la moisson
Seules, les têtes des épis
sont coupées à la faucille.
On laisse le chaume
sur place à la disposition
du bétail.
Relief peint de la chapelle
funéraire de Paheri El Kab
Début XVIIIᵉ dynastie

Moisson funéraire
Les femmes ne travaillaient pas aux champs. Cette représentation évoque donc le défunt et son épouse œuvrant, l'un et l'autre, pour gagner leur immortalité.
Tombe de Sennedjem
XIXᵉ dynastie – Thèbes-Ouest

Comédie du zèle...
L'humour n'est jamais absent, comme le prouve cette scène : lorsque la visite du maître est annoncée, on déploie des efforts démesurés !
Peinture de tombe
XVIIIᵉ dynastie – Thèbes-Ouest

Une nouvelle étape
Joseph vient constater que les épis rassemblés sont prêts pour la batteuse.
Peinture de tombe
XVIIIᵉ dynastie – Thèbes-Ouest

Contrôle des scribes
L'ensachage du blé est surveillé par les scribes de Joseph : l'impôt sera prêt à être versé !
Peinture de tombe
XVIIIᵉ dynastie – Thèbes-Ouest

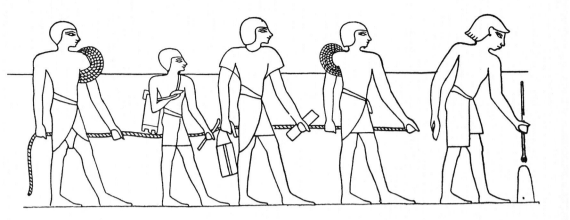

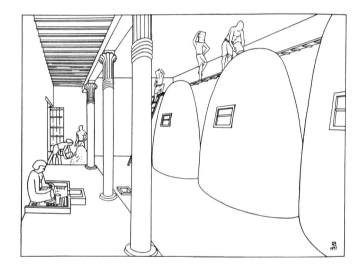

Les arpenteurs
Après la moisson et
la déclaration de la récolte
par les paysans, Joseph
envoie ses arpenteurs
sur place, afin qu'ils
mesurent la surface
des champs moissonnés.
A droite, on voit un paysan
qui jure, devant la borne
du champ, qu'il ne l'a pas
déplacée à son profit !
Peinture de tombe
XVIIIe dynastie - Thèbes-Ouest

Silos à grain
Le grenier a été remplacé
par des silos en pain
de sucre, mettant le grain
à l'abri des rats. Joseph les
a imposés dans tout le pays.
Reconstitution d'après
un relief du Nouvel Empire

Asnath, fille de Potiphéra, prêtre de On. Et Joseph partit pour le pays d'Égypte.

Joseph avait trente ans lorsqu'il se présenta devant Pharaon, roi d'Égypte, et Joseph quitta la présence de Pharaon et parcourut tout le pays d'Égypte. Pendant les sept années d'abondance, la terre produisit à profusion, et il ramassa tous les vivres des sept années, où il y eut abondance au pays d'Égypte et déposa les réserves dans les villes, mettant dans chaque ville les vivres de la campagne environnante. Joseph emmagasina le blé comme le sable de la mer, en telle quantité qu'on renonça à en faire le compte, car cela dépassa toute mesure.

Récompense royale

On peut imaginer la cérémonie, au cours de laquelle Pharaon honora Joseph, en contemplant l'image du général Horemheb (futur pharaon), qui reçut les plus beaux vêtements de lin blanc et les magnifiques colliers d'or qui s'accumulent sur sa poitrine.

Tombe memphite du général Horemheb – XVIIIe dynastie actuellement au musée de Leyde

Pharaon, très impressionné par l'analyse de ses rêves, révélés par Joseph, en découvrant la perspicacité de Joseph et son sens aigu des réalités, décida de l'investir des plus hautes charges du royaume. On retrouve les distinctions typiquement égyptiennes dans la liste des prérogatives et honneurs, et tout ce qui devait définir les attributs du plus haut fonctionnaire du pays, à commencer par celui que les égyptologues, en s'inspirant de la hiérarchie ottomane, ont appelé le vizir. Le souverain le gratifie de l'anneau royal qui devait être gravé d'un cachet, d'habits de lin fin (à la longue jupe empesée ?), sans oublier le collier d'or, sans doute celui qui avait pour nom *shebiou*. La possession d'un attelage, - le char à deux chevaux -, lui est également attribué, ce qui souligne encore sa puissance, quasiment égale à celle du roi. Et, couvert d'honneurs lorsqu'il circule dans les rues de la capitale, il sera salué, avec toute la révérence qui doit lui être témoignée, par le mot hébreu *abrak*, peut-être tiré de l'expression égyptienne *ib-ek* : « ton cœur », signifiant « hommage à toi ».

Cadeau d'un attelage
Devenu un personnage de haut rang, Joseph reçut un char et deux chevaux, lui permettant de parcourir tous les domaines.
Peinture de tombe
XVIIIe dynastie – Thèbes-Ouest

Parmi tous les détails du langage prêtés à notre héros, il faut encore souligner le terme de « Père pour Pharaon » qui lui est conféré en faisant, probablement, allusion à l'ancien titre égyptien de « Père divin ».

Comble d'assimilation au pays dont Pharaon veut en faire un digne sujet, voici que ce dernier lui donne un nom égyptien : *Safnath-Paneah*, à l'étymologie très déformée, mais au travers duquel J. Vergote – qui fut un très brillant professeur à l'université de Louvain –, pensa pouvoir reconstituer la signification de « Celui qui sait des choses ».

Ensuite, le roi, pour achever son action bienfaisante, le maria avec une Égyptienne d'une noble lignée sacerdotale.

À partir de ces événements, Joseph nous apparaît comme absolument assimilé au rôle défini pour lui par Pharaon. Il agira en Egyptien, assurant la totale sauvegarde du pays.
Il paraîtrait assez logique que je m'arrête ici d'évoquer le rôle de celui qui était devenu un « père » pour Pharaon. Cependant, la suite de son aventure montre à quel point cet être d'exception semble avoir été marqué du sceau de l'Égypte qui l'accueillit comme un de ses fils. Son action bénéfique dans toutes ses manifestations, – aussi bien pour constituer, avec une suprême habileté, le « trésor » de Pharaon, qu'à l'endroit de ses frères indignes –, mérite qu'elle soit ici rappelée. En effet, le lecteur devra, jusqu'à la fin du récit, constater combien, en retour, l'Égypte favorisa le premier regroupement des Sémites sur son sol, donnant ainsi naissance à un peuple qui sera, par la suite, celui des Hébreux.

Les fils de Joseph – Genèse, 41,50-52

Avant que vint l'année de la famine, il naquit à Joseph deux fils, que lui donna Asnath, fille de Potiphéra, prêtre d'On. Joseph donna à l'aîné le nom de Manassé, « car, dit-il, Dieu m'a fait oublier toute ma peine et toute la famille de mon père ». Quant au second, il l'appela Ephraïm, « car, dit-il, Dieu m'a rendu fécond au pays de mon malheur. »

Les années de famine – Genèse, 41,53-56

Alors prirent fin les sept années d'abondance qu'il y eut au pays d'Égypte, et commencèrent à venir les sept années de famine, comme l'avait dit Joseph. Il y avait famine dans tout le pays d'Égypte, mais il y avait du pain dans tout le pays d'Égypte. Puis, tout le pays d'Égypte souffrit de la faim et le peuple demanda, à grands cris, du pain à Pharaon, mais Pharaon disait à tous le Egyptiens : « Allez à Joseph et faites ce qu'il vous dira. » La famine sévissait par toute la terre. Alors, Joseph ouvrit tous les magasins à blé et vendit du grain aux Egyptiens. La famine s'aggrava encore au pays d'Égypte. De toute la terre on vint en Égypte pour acheter du grain à Joseph, car la famine s'aggravait par toute la terre.

Première rencontre de Joseph et de ses frères – Genèse, 42,1-24

Jacob, voyant qu'il y avait du grain à vendre en Égypte, dit à ses fils : « Pourquoi restez-vous à regarder ? J'ai appris, leur dit-il, qu'il y avait du grain à vendre en Égypte. Descendez-y et achetez-nous du grain là-bas, pour que nous restions en vie et ne mourrions pas. » Dix des frères de Joseph descendirent donc pour acheter du grain en Égypte. Quant à Benjamin, le frère de Joseph, Jacob ne l'envoya pas avec les autres : « Il ne faut pas, se disait-il, qu'il lui arrive malheur. »

Les fils d'Israël allèrent donc pour acheter du grain, mêlés aux autres arrivants car la famine sévissait au pays de Canaan. Joseph, - il avait autorité sur le pays - était celui qui vendait du grain à tout le monde. Les frères de Joseph arrivèrent et se prosternèrent devant lui, la face contre terre. Dès que Joseph vit ses frères, il les reconnut, mais il feignit de leur être étranger et leur parla durement. Il leur demanda : « D'où venez-vous ? » et ils répondirent : « Du pays de Canaan, pour acheter des vivres. »

Ainsi, Joseph reconnut ses frères, mais eux ne le reconnurent pas. Joseph se souvint des songes qu'il avait eus à leur sujet et il leur dit : « Vous êtes des espions ! C'est pour reconnaître les points faibles du pays, que vous êtes venus voir. » Ils protestèrent ; « Non, mon seigneur ! Tes serviteurs sont venus pour acheter des vivres. Nous sommes tous les fils d'un même homme, nous sommes sincères, tes serviteurs ne sont pas des espions. » Mais il leur dit : « Non ! Ce sont les points faibles du pays que vous êtes venus voir. » Ils répondirent : « Tes serviteurs étaient au nombre de douze, tous frères, tous fils d'un même homme, au pays de Canaan : le plus jeune est maintenant avec notre père, et il y en a un qui n'est plus. » Joseph reprit : « C'est comme je vous ai dit, vous êtes des espions. Voici l'épreuve que vous subirez : aussi vrai que le Pharaon est vivant, vous ne partirez pas d'ici, à moins que votre plus jeune frère n'y vienne. Envoyez l'un de vous chercher votre frère ; pour vous, restez prisonniers. On éprouvera vos paroles et on verra si la vérité est avec vous ou non. Si non, aussi vrai que Pharaon est vivant, vous êtes des espions ! » Il les mit tous aux arrêts pour trois jours.

Le troisième jour, Joseph leur dit : « Voici ce que vous ferez pour avoir la vie sauve, car je crains Dieu : si vous êtes sincères, que l'un de vos frères reste détenu dans votre prison ; pour vous, partez en emportant le grain dont vos familles ont besoin. Vous me ramènerez votre plus jeune frère, ainsi vos paroles seront vérifiées et vous ne mourrez pas. » Ainsi firent-ils. Ils se dirent, l'un à l'autre : « En réalité, nous expions ce que nous avons fait à notre frère : nous avons vu la détresse de son âme, quand il nous demanda grâce, et nous n'avons pas écouté. C'est pourquoi cette détresse nous est venue. » Ruben leur répondit : « Ne vous avais-je pas dit de ne pas commettre de faute contre l'enfant ? Mais vous ne m'avez pas écouté, et voici que nous est demandé compte de son sang. » Ils ne savaient pas que Joseph les comprenait, car entre lui et eux il y avait un interprète. Alors il s'écarta d'eux et pleura. Puis, il revint vers eux et leur parla ; il prit d'entre eux Siméon et le fit lier sous leurs yeux.

Dans ce chapitre, le rédacteur a utilisé une formule de serment typiquement égyptienne, faisant allusion au souverain des rives du Nil : « Aussi vrai que Pharaon est vivant ! »

Retour en Canaan des fils de Jacob
Genèse 42, 23-37

Joseph donna l'ordre de remplir de blé leurs bagages, de remettre l'argent de chacun dans son sac et de leur donner des provisions de route. Et c'est ce qu'on leur fit. Ils chargèrent le grain sur leurs ânes et s'en allèrent.

Mais lorsque l'un d'eux, au campement de la nuit, ouvrit son sac à blé pour donner à manger à son âne, il vit son argent qui était à l'entrée de son sac à blé. Il dit à ses frères : « On a rendu mon argent, voici qu'il est dans mon sac à blé ! » Alors le cœur leur manqua et ils se regardèrent en tremblant, se disant : « Qu'est-ce que Dieu nous a fait ! »

Revenus chez leur père Jacob, au pays de Canaan, ils lui racontèrent tout ce qui leur était arrivé. « L'homme qui est le seigneur du pays, dirent-ils, nous a parlé directement et nous a pris pour des espions du pays. Nous lui avons dit : "Nous sommes sincères, nous ne sommes pas des espions, nous étions douze frères, les fils d'un même père, l'un de nous n'est plus, et le plus jeune est maintenant avec notre père au pays de Canaan." Mais cet homme, qui est le souverain du pays, nous a répondu : "Voici, je saurai si vous êtes sincères : laissez près de moi un de vos frères, prenez le grain dont vos familles ont besoin et partez, mais ramenez-moi votre plus jeune frère, et je saurai que vous n'êtes pas des espions, mais que vous êtes sincères. Alors, je vous rendrai votre frère et vous pourrez circuler dans le pays." »

Comme ils vidèrent leurs sacs, voici que chacun avait dans son sac une bourse d'argent ; ils eurent peur, eux et leur père. Alors, leur père Jacob leur dit : « Siméon n'est plus et vous voulez prendre Benjamin, c'est sur moi, que tout cela retombe ! » Mais Ruben dit à son père : « Tu mettras mes deux fils à mort, si je ne te le ramène pas. Confie-le moi et je te le rendrai ! » Mais il reprit : « Mon fils ne descendra pas avec vous : son frère est mort et il reste seul. S'il lui arrive malheur dans le voyage que vous allez entreprendre, vous feriez descendre dans l'affliction mes cheveux blancs au *sheol*. »

Les fils de Jacob repartent avec Benjamin
Genèse, 43,1-14

Mais la famine pesait sur le pays et lorsqu'ils eurent achevé de manger le pain, qu'ils avaient apporté d'Égypte, leur père leur dit : « Retournez-y et achetez-nous un peu de vivres. » Juda lui répondit : « Cet homme nous a expressément averti que nous ne serions pas admis en sa présence, à moins que notre frère soit avec nous. Si tu es prêt à laisser partir notre frère avec nous, nous descendrons et t'achèterons des vivres, mais si tu ne le laisses pas partir, nous ne descendrons pas, car cet homme nous a dit : "Vous ne serez pas admis en ma présence, si votre frère n'est pas avec vous." » Israël dit : « Pourquoi m'avez-vous fait ce mal de dire à cet homme que vous aviez encore un frère ? - C'est, répondirent-ils, que l'homme s'est enquis de nous et de notre famille en demandant : "Votre père est-il encore vivant ? Avez-vous un frère ?" Et nous l'avons informé en conséquence. Pourrions-nous savoir qu'il dirait : "Amenez votre frère ?"» Alors Juda dit à son père Israël : « Laisse aller l'enfant avec moi. Allons, mettons-nous en route pour que nous conservions la vie et ne mourrions pas, nous-mêmes, avec toi et les personnes à notre charge. Je me porte garant pour lui et tu me demanderas compte, s'il m'arrive de ne pas te le ramener et de ne pas le remettre devant tes yeux ; j'en porterai la faute pendant toute ma vie. Si nous n'avions pas tant tardé, nous serions déjà revenus pour la seconde fois ! »

Alors, leur père Israël leur dit : « Puisqu'il le faut, faites donc ceci : dans vos bagages prenez les meilleurs produits du pays, pour les apporter en présent à cet homme, un peu de baume et un peu de miel, de la gomme adragante et du laudanum, des pistaches et des amandes. Prenez avec vous une seconde somme d'argent et rapportez l'argent qui a été remis à l'entrée de vos sacs à blé. C'était peut-être une méprise. Prenez votre frère et partez, retournez auprès de cet homme. Qu'el shadaï vous fasse trouver miséricorde auprès de cet homme, et qu'il vous laisse ramener votre frère et Benjamin. Pour moi, que je perde mes enfants, si je dois les perdre ! »

En ce qui concerne le mode de paiement, dont il est question dans ce texte, l'emploi des termes « argent », « somme d'argent », doit dater d'une époque tardive, puisque tous ces récits constituent un ensemble remontant à diverses périodes.

Au début de cette histoire, on a vu que Joseph aurait été vendu pour vingt sicles, monnaie frappée chez les Hébreux seulement à l'époque des Maccabées (143-135 av. J.-C.). Mais, bien avant, le sicle était utilisé en Chaldée et en Assyrie. En Égypte, à l'époque où l'on pourrait situer l'action de Joseph, vraisemblablement entre le Moyen et le Nouvel Empire, il n'était pas encore question de pièces de monnaie, mais seulement de morceaux de métal qui pouvaient servir au troc, d'argent ou de cuivre, échangés contre les denrées ou les objets, que l'on voulait acquérir. Des vestiges en ont été trouvés dans le village de Deir el-Médine, sur la rive gauche de Thèbes.

La rencontre chez Joseph – Genèse, 43, 15-34

Nos gens prirent les présents, le double d'argent avec eux et Benjamin. Ils partirent et descendirent en Égypte et ils se présentèrent devant Joseph. Quand Joseph les vit avec Benjamin, il dit à son majordome : « Conduis ces gens à la maison, abats une bête et apprête-la, car ces gens mangeront avec moi à midi. » L'homme fit, comme Joseph avait commandé et conduisit nos gens à la maison de Joseph.

Nos gens eurent peur qu'on les conduisit à la maison de Joseph, et ils se dirent : « C'est à cause de l'argent qui s'est trouvé la première fois dans nos sacs à blé, qu'on nous emmène. On va nous assaillir, tomber sur nous et nous prendre pour esclaves, avec nos ânes. » Ils s'approchèrent du majordome de Joseph et lui parlèrent à

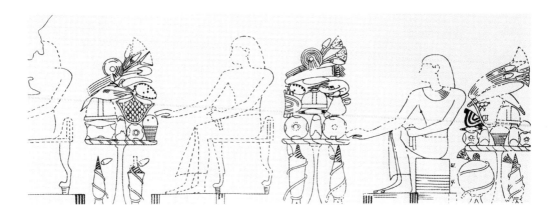

Repas offert à la famille
Dans la spacieuse demeure
de Joseph, les membres
de sa famille, qu'il a conviés
au repas, seront servis,
à l'égyptienne, chacun assis
devant un petit guéridon
individuel.
Dessin de chapelle thébaine
XVIIIe dynastie

Soins domestiques
Servi par une nombreuse
domesticité, Joseph veillait
à la fraîcheur de sa demeure.
Les dallages étaient lavés
journellement et une eau
parfumée était versée
sur les pieds et les mains
de ses visiteurs.
Peinture de tombe
XVIIIe dynastie
Tell el-Amarna

l'entrée de la maison : « Pardon ! mon seigneur, dirent-ils, nous sommes descendus une première fois pour acheter des vivres et lorsque nous sommes arrivés au campement pour la nuit et que nous avons ouvert nos sacs à blé, voici que l'argent de chacun se trouvait à l'entrée de nos sacs, notre argent bien compté, et nous le rapportons avec nous. Nous avons apporté une autre somme pour acheter des vivres. Nous ne savons pas qui a mis notre argent dans nos sacs à blé. » Mais il répondit : « Soyez en paix et n'ayez pas peur ! C'est votre dieu et le dieu de votre père qui vous a mis un trésor dans vos sacs à blé : votre argent m'est bien parvenu. » Et il leur amena Siméon.

L'homme introduisit nos gens dans la maison de Joseph. Il leur apporta de l'eau, pour qu'ils se lavent les pieds, et donna du fourrage à leurs ânes. Ils disposèrent les présents en attendant que Joseph vienne pour midi, car ils avaient appris qu'ils prendraient leur repas.
Quand Joseph rentra à la maison, ils lui offrirent les présents, qu'ils avaient avec eux et se prosternèrent à terre. Mais il les salua amicalement et leur demanda : « Comment se porte votre vieux père, dont vous m'avez parlé – est-il encore en vie ? » Ils répondirent : « Ton serviteur, notre père, se porte bien. Il est encore en vie. » Et ils s'agenouillèrent et se prosternèrent. Levant les yeux, Joseph vit son frère Benjamin, le fils de sa mère, et demanda : « Est-ce là votre plus jeune frère, dont vous m'avez parlé ? » et s'adressant à lui : « Que Dieu te fasse grâce,

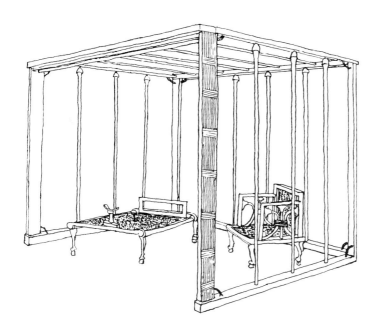

Moustiquaire
de Hetephérès
La mère du grand Khéops
possédait une moustiquaire
dans son mobilier funéraire.
On retrouve le même modèle
au Nouvel Empire. Un voile
de lin très fin recouvrait
l'armature du lit en bois
doré.
Tombe de Hetephérès
IVᵉ dynastie
Musée du Caire

mon fils. » Joseph se hâta de sortir, car son cœur s'était ému pour son frère et les larmes lui venaient aux yeux ; il entra dans sa chambre et là il pleura. S'étant lavé le visage, il revint et (en) se contenant il ordonna : « Servez le repas. » On le servit à part et eux à part, et à part aussi les Égyptiens qui mangeaient chez lui, car les Égyptiens ne peuvent pas prendre leurs repas avec les Hébreux : ils ont cela en horreur. Ils étaient placés en face de lui, chacun, de l'aîné au plus jeune, et nos gens se regardaient avec étonnement. Mais lui leur fit porter, de son plat, les portions d'honneur et la portion de Benjamin surpassait cinq fois celle de tous les autres : avec lui, ils burent et s'enivrèrent.

Dans l'intimité de la maison de Joseph, la manière de vivre à l'égyptienne semble déjà avoir été adoptée par celui-ci. Ses domestiques n'omettent pas de fournir, aux visiteurs qui arrivent, l'eau pour l'ablution des pieds. Chacun s'alimente à part, assis seul devant un petit guéridon. Quant au maître de la maison, il tient à honorer ses hôtes en leur choisissant les meilleurs mets, qu'il leur destine individuellement. Cette dernière coutume existe encore dans certaines provinces d'Égypte.

La coupe de Joseph dans le sac de Benjamin
Genèse, 44, 1-24

Puis, Joseph dit à son intendant : « Remplis les sacs de ces gens avec autant de vivres, qu'ils peuvent porter, et mets l'argent de chacun à l'entrée de son sac. Ma coupe, celle d'argent, tu la mettras à l'entrée du sac du plus jeune, avec le prix de son grain. » Et il fit comme Joseph avait dit.

Lorsque le matin parut, on renvoya nos gens avec leurs ânes. Ils étaient à peine sortis de la ville et n'en étaient pas bien loin, que Joseph dit à son majordome : « Debout ! Cours après ces hommes, rattrape-les et dis-leur : "Pourquoi avez-vous rendu le mal pour le bien ? N'est-ce pas ce qui sert à mon maître pour boire et au sujet de quoi il allait certainement pratiquer la divination ? C'est mal, ce que vous avez fait !"»

Il les rattrapa donc et leur redit ces paroles. Mais ils répondirent : « Pourquoi mon seigneur parle-t-il ainsi ? Loin de tes serviteurs de faire une chose pareille ! Vois donc, l'argent, que nous avions trouvé à l'entrée de nos sacs à blé, nous te l'avons rapporté du pays de Canaan. Comment aurions-nous volé de la maison de ton maître, argent et or ? Celui de tes serviteurs, chez qui on trouvera l'objet, sera mis à mort et nous-mêmes deviendrons esclaves de mon seigneur ! » Il reprit : « Eh bien ! Qu'il en soit comme vous avez dit : celui avec qui on trouvera l'objet, sera mon esclave, mais vous autres, vous serez quittes. » Vite, chacun descendit à terre son sac à blé et chacun l'ouvrit. Il les fouilla en commençant par l'aîné et en finissant par le plus jeune ; la coupe fut trouvée dans le sac de Benjamin ! Alors, ils déchirèrent leurs vêtements, chargèrent, chacun, son âne et revinrent à la ville.

Lorsque Juda et ses frères entrèrent dans la maison de Joseph, celui-ci s'y trouvait encore et ils tombèrent à terre devant lui. Joseph leur demanda : « Quelle est cette action, que vous avez commise ? Ne saviez-vous pas qu'un homme comme moi sait deviner ? » et Juda répondit : « Que dirions-nous à mon seigneur, comment parler et comment nous justifier ? C'est Dieu qui a mis en évidence la faute de tes serviteurs. Nous voici donc les esclaves de mon seigneur, aussi bien nous autres, que celui aux mains duquel la coupe a été trouvée. » Mais il reprit : « Loin de moi d'agir ainsi. L'homme aux mains duquel la coupe a été trouvée, sera mon esclave, mais vous retournez en paix chez votre père. »

Alors Juda s'approcha de lui et dit : « S'il te plaît, mon seigneur, permet que ton serviteur fasse entendre un mot aux oreilles de mon seigneur, sans que ta colère s'enflamme contre ton serviteur, car tu es vraiment comme Pharaon.

« Mon seigneur avait posé cette question à tes serviteurs : "Avez-vous encore un père ou un frère ?" et nous avons répondu à mon seigneur : nous avons un vieux père et un cadet qui lui est né dans sa vieillesse ; le frère de celui-ci est mort, il reste le seul enfant de sa mère et notre père l'aime ! Alors tu as dit à tes serviteurs : "Amenez-le moi, que mon regard se pose sur lui." Nous avons répondu à mon seigneur : l'enfant ne peut pas quitter son père, car s'il quitte son père, celui-ci en mourra. Mais tu as insisté auprès de tes serviteurs : "Si votre jeune frère ne descend pas avec vous, vous ne serez pas admis en ma présence." Donc, lorsque nous sommes remontés chez ton serviteur, notre père, nous lui avons rapporté les paroles de mon seigneur. Et lorsque notre père a dit : "Retournez pour nous acheter un peu de vivres", nous avons répondu : "Nous ne pourrons pas, nous ne descendrons, que si notre plus jeune frère est avec nous, car il n'est pas possible, que nous soyons admis en présence de cet homme, sans que notre plus jeune frère soit avec nous." Alors ton serviteur, notre père, nous a dit : "Vous savez bien que ma femme ne m'a donné que deux enfants : l'un m'a quitté et j'ai dit : Il a été dépecé comme une proie, et je ne l'ai plus revu jusqu'à présent. Que vous preniez encore celui-ci d'auprès de moi, et qu'il lui arrive malheur, vous feriez descendre dans la peine mes cheveux blancs en sheol." » Maintenant, si j'arrive chez ton serviteur, mon père, sans que soit avec nous l'enfant, à l'âme duquel son âme est liée, dès qu'il verra, que l'enfant n'est pas avec nous, il mourra et tes serviteurs auront fait descendre dans l'affliction les cheveux blancs de ton serviteur, mon père, au sheol. Et ton serviteur s'est porté garant de l'enfant auprès de mon père, en ces termes : « Si je ne le ramène pas, j'en serai coupable envers mon père toute ma vie. Maintenant, que ton serviteur reste comme esclave de mon seigneur à la place de l'enfant et que celui-ci remonte avec ses frères. Comment, en effet, pourrais-je remonter vers mon père, sans que l'enfant soit avec moi ? Je ne veux pas voir le malheur qui frapperait mon père. »

Joseph se fait connaître à ses frères
Genèse, 45, 1-15

Alors, Joseph ne put se contenir devant tous les gens de sa suite et il s'écria : « Faites sortir tout le monde d'auprès de moi » ; et personne ne resta auprès de lui, pendant que Joseph se faisait connaître à ses frères ; mais il pleura tant et les Égyptiens l'entendirent, et la maison de Pharaon l'entendit.

Joseph dit à ses frères : « Je suis Joseph ! Mon père vit-il encore ? » et ses frères ne purent lui répondre, car ils étaient bouleversés de le voir. Alors, Joseph dit à ses frères : « Approchez-vous de moi ! » et ils s'approchèrent. Il dit : « Je suis Joseph, votre frère, que vous avez vendu en Égypte. Mais maintenant, ne soyez pas chagrinés et ne vous fâchez pas de m'avoir vendu, car c'est pour préserver vos vies, que Dieu m'a envoyé en avant de vous. Voici, en effet, deux ans que la famine est installée dans le pays, et il y aura encore cinq années sans labour ni moisson.

Dieu m'a envoyé en avant de vous pour assurer la permanence de votre race dans le pays et sauver la vie de beaucoup d'entre vous. Ainsi, ce n'est pas vous qui m'avez envoyé ici, c'est Dieu, et il m'a établi comme Père pour Pharaon, comme maître sur toute sa maison, comme gouverneur dans tout le pays d'Égypte. »

« Remontez vite chez mon père et dites-lui : "Ainsi parle ton fils Joseph. Dieu m'a établi maître sur toute l'Égypte. Descends auprès de moi, sans tarder. Tu habiteras le pays de Goshen et tu seras près de moi, toi-même, tes enfants et tout ce qui t'appartient. Là je pourvoirai à ton entretien, car la famine durera encore cinq années, pour que tu ne sois pas dans l'indigence, toi, ta famille et tout ce qui est à toi. Vous voyez de vos propres yeux et mon frère Benjamin voit que c'est ma bouche qui vous parle". Racontez à mon père toute la gloire que j'ai en Égypte et tout ce que vous avez vu, et hâtez-vous de faire descendre mon père. »

Alors, il se jeta au cou de son frère Benjamin et pleura, et Benjamin aussi pleura à son cou. Puis, il couvrit tous ses frères de larmes et pleura en les embrassant. Après quoi, ses frères s'entretinrent avec lui.

L'invitation de Pharaon – Genèse, 45, 16-28

La nouvelle parvint au palais de Pharaon, que les frères de Joseph étaient venus, et Pharaon, comme ses officiers, virent cela d'un bon œil. Pharaon parla ainsi à Joseph : « Dis à tes frères : "Faites ceci : chargez vos bêtes et allez-vous en au pays de Canaan. Prenez votre père et vos familles et revenez vers moi. Je vous donnerai le meilleur de la terre d'Égypte et vous vous nourrirez de la graisse du pays." Pour toi, donne-leur cet ordre : "Agissez ainsi : Emmenez au pays d'Égypte des chariots pour vos petits enfants et vos femmes, prenez votre père et venez. N'ayez pas un regard de regret pour ce que vous laisserez, car ce qu'il y a de mieux dans toute l'Égypte, sera pour vous." »

Ainsi firent les fils d'Israël. Joseph leur procura des chariots selon l'ordre de Pharaon, et les munit de provisions de route. A chacun d'eux il donna un habit de fête, mais à Benjamin il donna trois cents sicles d'argent et cinq habits de fête. De la même manière, il envoya à son père dix chariots chargés des meilleurs produits d'Égypte, et dix ânesses portant du blé, du pain et des victuailles pour le voyage de son père. Puis, il congédia ses frères qui partirent non sans qu'il leur eût dit : « Ne vous excitez pas en chemin ! »

Ils remontèrent donc d'Égypte et arrivèrent au pays de Canaan, chez leur père Jacob. Ils lui annoncèrent : « Joseph est encore vivant, c'est même lui qui gouverne tout le pays d'Égypte ! » Mais son cœur resta inerte, car il ne les crut pas ! Cependant, quand ils eurent répété toutes les paroles que Joseph leur avait dites, quand il vit les chariots, que Joseph avait envoyés pour le prendre, alors Israël dit : « Cela suffit ! Joseph, mon fils, est encore vivant, que j'aille le voir avant que je ne meure ! »

La formation du peuple d'Israël
Départ de Jacob pour l'Égypte
Genèse, 46, 1-7

Israël partit avec tout ce qu'il possédait. Il arriva à Beer-sheba, il offrit des sacrifices au Dieu de son père Isaac, et Dieu dit à Israël dans une vision nocturne : « Jacob ! Jacob ! » Il répondit : « Me voici ! » Dieu reprit : « Je suis Dieu, le Dieu de ton père. N'aies pas peur de descendre en Égypte, car là-bas je ferai de toi un grand peuple. C'est moi qui descendrai avec toi en Égypte, c'est moi qui t'en ferai remonter, et Joseph te fermera les yeux. »

Jacob partit de Beer-sheba, et les fils d'Israël firent monter leur père Jacob, leurs petits-enfants et leurs femmes sur les chariots, que Pharaon avait envoyés pour les prendre. Ils emmenèrent leurs troupeaux et tout ce qu'ils avaient acquis au pays de Canaan, et ils vinrent en Égypte, Jacob et tous ses descendants avec lui, ses fils et les fils de ses fils, ses filles et les filles de ses fils, bref, tous ses descendants, il les emmena avec lui en Égypte.

Ici sont cités les noms des nombreux fils d'Israël qui vinrent en Égypte.

La famille de Jacob – Genèse, 46, 8-27

... Toutes les personnes de la famille de Jacob, issues de lui, qui vinrent en Égypte, sans compter les femmes des fils de Jacob, étaient en tout soixante-six. Les fils de Jacob qui lui naquirent en Égypte, étaient au nombre de deux. Total des personnes de la famille de Jacob qui vinrent en Égypte : soixante-dix *.

L'accueil de Joseph – Genèse, 46, 28-33

Israël envoya Juda en avant vers Joseph, pour que celui-ci parût devant lui en Goshen, et ils arrivèrent dans la terre de Goshen. Joseph fit atteler son char et monta à la rencontre de son père Israël en Goshen. Dès qu'il parut devant lui, il se jeta à son cou et pleura longtemps en le tenant embrassé. Israël dit à Joseph : « A ce coup, je peux mourir, après que j'ai vu ton visage et que tu es encore vivant ! »

Alors Joseph dit à ses frères et à la famille de son père : « Je vais avertir Pharaon et lui dire : "Mes frères et la famille de mon père, qui étaient au pays de Canaan, sont arrivés auprès de moi. Ces gens sont des bergers, ils s'occupent des troupeaux, et ils ont amené leur petit et leur gros bétail et tout ce qui leur appartient. "Ainsi, lorsque Pharaon vous appellera et vous demandera : "Quel est

* Le total de soixante-six personnes peut s'expliquer par le fait que ni Er et Onan, fils de Jacob morts en Canaan, ni Manassé et Éphraïm, fils de Joseph nés en Égypte, ne sont compris dans ce chiffre. Par ailleurs, l'ancienne version grecque donne (v. 27) un total de soixante-quinze, qui comprend les deux fils de Joseph et leurs cinq descendants. Ce nombre de soixante-quinze retrouve, en partie, dans Exode 1,5.

votre métier ?", vous répondrez : "Tes serviteurs se sont occupés de troupeaux depuis leur plus jeune âge jusqu'à maintenant, nous-mêmes, comme déjà nos pères."

Ainsi, vous pourrez demeurer dans la terre de Goshen. » En effet, les Egyptiens ont tous les bergers en horreur.

L'audience de Pharaon – Genèse, 47, 1-12

Donc, Joseph alla avertir Pharaon : « Mon père et mes frères, dit-il, sont arrivés de Canaan avec leur petit et leur grand bétail et tout ce qui leur appartient ; les voici dans la terre de Goshen. » Il avait pris cinq de ses frères, qu'il présenta à Pharaon. Celui-ci demanda à ses frères : « Quel est votre métier ? » et ils répondirent : « Tes serviteurs sont des bergers, nous-mêmes, comme nos pères. » Ils dirent aussi à Pharaon : « Nous sommes venus séjourner dans le pays, car il n'y a plus de pâture pour les troupeaux et tes serviteurs : la famine, en effet, accable le pays de Canaan. Permets maintenant, que tes serviteurs demeurent dans la terre de Goshen. » Alors Pharaon dit à

Joseph : « Qu'ils habitent la terre de Goshen *. Si tu sais qu'il y a parmi eux des hommes capables, place-les comme régisseurs de mes propres troupeaux. »

La politique agraire de Joseph
Genèse, 47, 13-28.

Il n'y avait pas de pain dans tout le pays, car la famine était devenue si dure, que le pays d'Égypte et le pays de Canaan languissaient. Joseph procura du pain à son père, à ses frères et à toute la famille de son père, selon le nombre des personnes à charge. Joseph ramassa tout l'argent qui se trouvait au pays d'Égypte et au pays de Canaan en échange du grain qu'on achetait, et il livra cet argent à la maison de Pharaon.

Lorsque fut épuisé l'argent du pays d'Égypte et du pays de Canaan, tous les Egyptiens vinrent à Joseph en disant : « Donne-nous du pain : pourquoi devrions-nous mourir sous tes yeux ? Car il n'y a plus d'argent. » Alors Joseph leur dit : « Livrez vos troupeaux et je vous donnerai du

Bateau fluvial
Pour les grandes inspections, Joseph parcourait l'Égypte, du Delta jusqu'au sud de la Nubie, au moyen de sa belle embarcation. Sa cabine était décorée de toiles aux couleurs très vives.
Peinture de tombe
XVIIIe dynastie – Thèbes-Ouest

* Dans une version plus tardive, il est dit que Joseph évoque cette « meilleure région » par la « Terre de Ramsès ».

pain en échange de vos troupeaux, s'il n'y a plus d'argent. » Ils amenèrent leurs troupeaux à Joseph et celui-ci leur donna du pain pour prix des chevaux, du petit et du gros bétail et des ânes. Il les nourrit de pain en échange de leurs troupeaux.

Lorsque fut écoulé cette année-là, ils revinrent vers lui l'année suivante et lui dirent : « Nous ne pouvons le cacher à mon seigneur, mais vraiment l'argent est épuisé et les bestiaux sont déjà à mon seigneur. Il ne reste à la disposition de mon seigneur que nos corps et notre terroir. Acquiers donc nos personnes et notre terroir, les serfs de Pharaon. Mais donne-nous de quoi semer, pour que nous restions en vie et ne mourrions pas et que notre terroir ne soit pas désolé. »

Ainsi, Joseph acquit pour Pharaon tout le territoire d'Égypte, car les Egyptiens vendirent, chacun, son champs, tant les pressait la famine, et le pays passa aux mains de Pharaon. Quant aux gens, il les réduisit en servage d'un bout à l'autre du territoire égyptien. Il n'y eut que le territoire des prêtres, qu'il n'acquit pas, car les prêtres recevaient une rente de Pharaon et vivaient de la rente, qu'ils recevaient de Pharaon. Aussi n'eurent-ils pas à vendre leurs terroirs.

Puis, Joseph dit au peuple : « Donc, je vous ai acquis pour Pharaon, avec votre terroir. Mais sur votre récolte vous devrez donner un cinquième à Pharaon, et quatre autres parts sont à vous, pour la semence du champs, pour votre nourriture et celle de votre famille, pour la nourriture des personnes à votre charge. » Ils répondirent : « Tu nous a sauvé la vie ! Puissions-nous seulement trouver grâce aux yeux de mon seigneur, et nous serons les serfs de Pharaon. » De cela, Joseph fit une règle qui vaut encore aujourd'hui pour le terroir d'Égypte : on verse un cinquième à Pharaon. Seul le terroir des prêtres ne fut pas à Pharaon.

Les Israëlites demeurèrent au pays d'Égypte dans la

terre de Goshen. Ils y acquirent des propriétés, furent féconds et devinrent très nombreux. Jacob vécut dix-sept ans au pays d'Égypte et la durée de la vie de Jacob fut de cent quarante-sept ans *.

Quant à Joseph, à l'image de tous les sages d'Égypte, il vécut cent dix années.

A la lecture de cette étonnante histoire qui prête à réfléchir, on est amené à déduire que le séjour de Joseph sur la terre d'Égypte n'était aucunement le fruit du hasard. On en déduit, que Yahvé avait choisi ce pays très particulier des bords du Nil, réel intermédiaire entre l'Afrique et le Proche-Orient, pour que s'épanouisse le génie d'un petit Bédouin de dix-sept ans, affecté, jusqu'alors, à la garde du « petit et du gros bétail » de son père Jacob. Pour en arriver à l'instant où son exceptionnelle nature lui permettait de réaliser son fantastique destin, il devait pénétrer dans l'accueillante terre des Pharaons, s'y établir et partager avec profit l'existence des Égyptiens.

Premier phénomène d'adaptation au milieu égyptien : Joseph est rapidement devenu proche des puissants du pays et arrive non seulement à gérer le domaine de celui qui l'avait acquis comme esclave, d'après la légende, mais parvint aussi à interpréter d'emblée les songes du roi d'Égypte lui-même ! Le phénomène aurait, déjà, dû paraître bien étrange : qu'un humble Bédouin puisse interpréter aussi facilement les rêves du grand échanson et du grand panetier. Mais Yahvé avait inspiré Joseph, pour qu'il prévienne à l'avance les sceptiques par ces mots : « Je ne compte pas, c'est Dieu qui donne l'interprétation. »

* Ce dernier paragraphe a été ajouté plus tardivement à la réunion de deux textes plus anciens, l'Elohiste et le Yahviste. Il est extrait du « code sacerdotal ». C'est dans ce dernier texte que l'on trouve que la région affectée à Jacob et aux siens, est appelée « Terre de Ramsès » (située un peu plus au nord de la terre de Goshen).

Le problème est tout différent en ce qui concerne l'effroi totalement incompréhensible de Pharaon au sortir de son cauchemar, son incapacité de comprendre le message qu'il lui suggérait, et au sujet duquel Joseph précise que « c'est Dieu qui donnera à Pharaon une réponse favorable ».

Il est vraiment impossible d'imaginer que Pharaon, le maître suprême du pays (dont le nom n'est jamais indiqué dans le récit), ignore à ce point le symbole égyptien des sept vaches, en rapport étroit et direct avec le mythe ancestral des crues du Nil et de leur particulière nature.

Je rappelle que, depuis quelques millions d'années, le fleuve se répandait en crue à date fixe sur le sol d'Égypte, au moment où l'étoile Sothis, invisible pendant soixante-dix jours, réapparaissait de nouveau à l'aube, aux environs du 18 juillet, dans les parages immédiats du soleil et précédant de quelques instants le lever de l'astre. C'était alors, avec l'arrivée de l'Inondation, le retour du Jour de l'An, du renouveau du pays et l'anniversaire du souverain, identifié au jeune dieu solaire.

Rompu, dès son jeune âge, à l'enseignement des sages-savants, maîtres de la Maison de Vie, Pharaon ne pouvait donc ignorer le tableau symbolique – et prophylactique –, rappelé par les sept vaches, faisant allusion aux sept bonnes crues du Nil, régulièrement suivies de sept mauvaises inondations.

Par quelles circonstances incompréhensibles, ni Pharaon ni son entourage « savant » ne purent ils constater cette évidence, dont tout Egyptien était informé ?

Une seule réponse se présente à mon esprit : à l'époque où se situe l'action de Joseph en Égypte, le maître du territoire devait être un étranger au pays et non encore initié à l'original rythme de sa nature particulière.

Joseph, le jeune Bédouin, venait donc de pénétrer dans la région orientale du delta où, depuis quelque temps, des Sémites, les Hyksôs, ses frères de Canaan, s'étaient infiltrés, puis devaient s'implanter grâce à lui. Lorsque, avec l'appui total du pharaon « étranger », Joseph eût sauvé du désastre de la famine l'Égypte et ses frères de Canaan, il est bien précisé dans la Bible, en conclusion de l'histoire, que tous les descendants des enfants de Jacob-Israël s'installèrent dans le pays de Goshen, que Pharaon leur avait désigné. Cela aurait pu se produire à l'époque de la mystérieuse XIVᵉ dynastie d'Égypte, du temps de l'occupation du pays par les Hyksôs.

Cette « nation », prévue par Yahvé, s'agrandit alors sans cesse pendant plus de deux autres dynasties jusqu'à l'époque où les princes de Haute Égypte, inquiétés par la conspiration des Hyksôs avec les gens du pays de Koush, au sud, entreprirent de bouter hors du territoire ceux qu'ils considéraient alors comme les occupants du delta. Il s'ensuivit des combats et la définitive et victorieuse campagne d'Ahmosis, le « Libérateur » et fondateur de la XVIIIᵉ dynastie thébaine.

Cependant, durant toute cette période, l'Égypte avait, à son tour et surtout dans sa province septentrionale, profondément marqué des acquis de sa civilisation les occupants qu'elle accueillit sur son sol, et pendant des siècles ceux-ci bénéficièrent de ce prestigieux legs.

XII
LA SAGESSE

« *Moïse fut instruit dans toute la sagesse des Égyptiens.* »
(Ac.7,22).

Statues de sages
Deux de ces statues, dédiées dans le temple de Karnak, représentaient le grand architecte d'Aménophis III, sage entre les sages : Amenhotep, fils de Hapou ; aussi vécut-il jusqu'à l'âge de cent dix ans.
Cette coutume fut adoptée par les Hébreux.
Temple d'Amon
XVIIIe dynastie – Karnak
(aujourd'hui au Musée du Caire)

Dans le traité où l'on parle de la sagesse antique, on remonte habituellement à l'époque où, déjà, cette précieuse qualité marquait d'un sceau particulier le pays des Pharaons.

L'enseignement de cette vertu, appelée en égyptien *sebaÿt*, était dispensé par un père à son fils, proposé par le maître à son disciple. Très tôt, il aboutit à l'édification d'un réseau de forces, inculquant au jeune Égyptien une conduite et une discipline destinées à lui donner un équilibre de logique et de morale, qualités essentielles assurant à l'Égyptien la « voie droite menant à Dieu », encore prônée par les sages des derniers temps de l'ancienne civilisation des rives du Nil.

Sagesse à l'Ancien Empire

Déjà, au début de la IIIe dynastie de l'Ancien Empire, le don divin de la sagesse était aussi attribué au savant **Imhotep**, architecte du roi Djéser, mais aucun de ses écrits ne fut retrouvé. On connaît cependant l'existence d'un « Livre d'instructions », composé par un vizir inconnu vers la même époque, pour l'édification de son fils, **Kagemni**.

Puis, à la IVe dynastie de ce même Ancien Empire, remonte l'**Enseignement de Hordjedef**. Mais le plus célèbre ensemble de règles d'éthique, datant de la Ve dynastie, est le très populaire **Enseignement de Ptah-hotep**.

Sagesse au Moyen Empire

Nous voici arrivés à la Première Période Intermédiaire, située entre l'Ancien et le Moyen Empire, d'où, rédigé à la Xe dynastie, nous a été conservé l'**Enseignement de Khéty III**, destiné à son fils et successeur, **Mérikarê.**

Intégrés à l'existence même de l'Egyptien, ces enseignements visaient surtout à former les étudiants destinés à œuvrer dans les importants bureaux de l'administration royale.

Amenhotep, fils de Hapou
Cette statue représente le grand architecte et conseiller d'Aménophis III durant sa jeunesse.
Provenant de Karnak
XVIIIe dynastie
Musée du Caire

Sagesse au Nouvel Empire

Le Nouvel Empire reprend la tradition. De cette époque subsistent surtout le **Traité d'Any** et celui d'**Amenemopé**, où réapparaissent certains des enseignements passés, commentés avec un souci d'éthique très appuyé.

Enseignements à l'Époque tardive

À la Basse Époque, enfin, les « Instructions » tracées en **démotique** se font l'écho de pensées encore plus élaborées, conservées surtout dans les écrits d'**Ankh-chechonq** et ceux parvenus jusqu'à nous par le papyrus Insinger.

L'Égypte et la Bible

Ainsi, tout au long de la civilisation égyptienne, se développait cet enseignement si caractéristique des riverains du Nil, bien antérieur à celui des textes bibliques d'inspiration analogue, et connus pour remonter aux temps assez tardifs des règnes de David et de Salomon (Xe-VIIIe siècles au plus tôt).

Sans hésitation aucune, il est facile de constater que l'inspiration provient de la vieille terre d'Égypte. Quelques confrontations de textes apportent facilement la preuve de ces similitudes et de l'état particulièrement réceptif d'Israël aux influences du pays des Pharaons.

Thot, le babouin
Le singe hamadryas, originaire d'Éthiopie, représentait, par son comportement calme, la méditation, la science et, par extension, le mystère du calendrier. Il est souvent figuré coiffé du croissant lunaire.
Statuette de terre cuite vernissée, or, argent
Début époque saïte
Musée du Louvre

On demeure étonné de constater qu'aucun autre peuple de la haute Antiquité n'a produit autant de textes de sagesse et aussi de préoccupations *post mortem*. En fait, suivant les époques traversées, les Égyptiens ont conçu des enseignements qui leur étaient remarquablement appropriés. Pour le prince **Hor-djedef**, supposé être le fils de Khéops, il lui était déjà prodigué, et avant toute chose, les conseils pour s'assurer la survie qu'il fallait fermement préparer et veiller à l'établissement de l'indispensable sépulture à aménager, plutôt que d'affirmer sa prospérité terrestre et transitoire.

Scribe au travail
Le silence, propice au travail intellectuel, était naturellement recommandé aux collaborateurs du maître, installés dans un bureau aux colonnes à chapiteau floral fermé. Décor de tombe
V^e dynastie – Sakkara

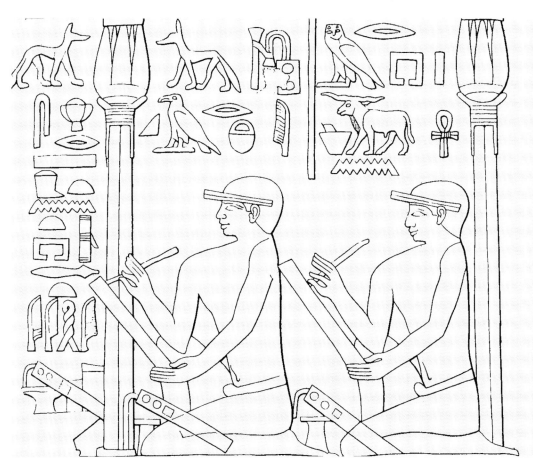

L'Égyptien idéal

Dans les instructions pour **Kagemni**, les considérations sur le comportement propre de l'homme ne devaient être en rien négligées, et ceci depuis sa tenue à table jusqu'à son attitude silencieuse (*ger*), impérativement à respecter, afin de toujours se démarquer du sujet violent et impulsif (le passionné, le *shemem*).

Dès la Ve dynastie, l'enseignement de **Ptahhotep** concerne toutes les tenues humaines. Une grande attention doit être prêtée aux « bonnes manières ». L'éloquence est recherchée, de même que le respect du silence et l'art d'écouter. Toutes les règles de l'étiquette et du savoir-vivre : la confiance et l'obéissance envers les supérieurs, la façon de traiter les inférieurs,

Femme au miroir
Femme de joie se maquillant.
Papyrus érotique
XXe dynastie
Musée de Turin

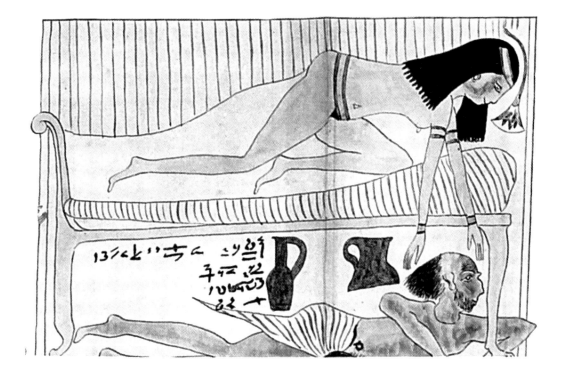

comme celle de savoir donner des ordres, et de rendre équitablement un jugement.

Tout est de nouveau analysé concernant la vie privée : les relations entre époux, entre enfants, avec les amis.

Le pessimisme

On aborde alors la période des troubles, traversés par le pays pendant la Première Période Intermédiaire, où les habitants manquent d'espoir en raison des graves désordres internes. Apparaissent alors les **Instructions d'Aménemhat Ier**, lequel exhorte son fils à ne donner sa confiance à personne. Puis, après l'épreuve, se font jour les instructions destinées à témoigner au roi le respect qu'il doit inspirer. Cela se tra-

Maison de la bière
Lorsque le maître s'adressait à ses jeunes disciples, il leur déconseillait de fréquenter les estaminets des bords du Nil, où l'on pouvait rencontrer de coquettes entraîneuses, auprès desquelles ils se livreraient à la boisson, jusqu'à tomber dans l'ivresse.
Papyrus érotique
XXe dynastie
Musée de Turin

duit alors par le grand et très sage texte de l'**Hymne à Sésostris III**. Ces compositions sont de nature morale et philosophique, contenant des maximes encore parfois pessimistes et analysant l'incertitude des destinées humaines.

Coupe à boire
Toujours sur le même registre, le maître continuait à prêcher la vertu. Il était mauvais de trop visiter les « maisons de la bière », où cette boisson et le vin coulaient à flots et où des femmes « légères », dévêtues, montraient parfois un tatouage évocateur.
Terre cuite vernissée
Nouvel Empire
Musée de Leyde

La psychologie

Les **Livres de Sagesse** du Nouvel Empire n'atteignent pas la hauteur ni l'originalité de ceux des temps passés. Cependant, les thèmes essentiels sont maintenus et le maître insiste toujours, aussi bien dans les **Instructions du scribe Any** que dans celles d'**Amenemopé**, sur la discrétion,

la prudence, la réserve qu'il faut savoir observer, le respect pour le grand âge et l'assurance que les chemins de Dieu demeurent toujours insondables.

Au terme de ce survol, les **Instructions d'Ankhchechonq**, prêtre de Rê du milieu du IIe siècle avant notre ère, brillent par la hauteur de leur niveau moral.

Textes sapientiaux égyptiens et bibliques

En confrontant les textes égyptiens à certains passages des Proverbes hébreux, on pourra toucher du doigt l'impact de la vieille sagesse du Nil

Page ci-contre
Bureau du vizir Tchaÿ
En plan « redressé »,
on peut contempler
l'intérieur d'un
ministère égyptien.
A gauche, bordé
de deux rangées de
scribes, l'allée centrale
de la première pièce
est occupée par le vizir
et ses adjoints qui
reçoivent ses ordres.
Puis, c'est la grande
salle, où le « premier
ministre » rend le culte
au patron des lettrés
et des sages : Thot.
Tombe de Tchaÿ
XXe dynastie
Thèbes-Ouest

sur la pensée des fondateurs du temple de Jérusalem. Les textes égyptiens s'échelonnent, nous l'avons vu, de l'Ancien Empire jusqu'à l'époque tardive : du milieu du troisième millénaire à celui du deuxième siècle avant notre ère ! Les textes bibliques – Proverbes, l'Ecclésiaste, Livre des Rois, etc. – ont été composés entre le dixième et le huitième siècle avant notre ère.

Égypte
Sagesse de Ptah-hotep
Les plans de l'homme ne se sont jamais réalisés, (mais) ce sont ceux, que Dieu ordonne, qui se produisent.

Sagesse d'Any
Ces plans sont une chose, (ceux du) Seigneur-de-la-vie sont différents.

Sagesse d'Amenemopé
C'est toujours dans la nature de Dieu de réussir.
Tandis que c'est dans la nature de l'humanité d'échouer.
Les mots, que les hommes disent, sont une chose,
Les choses, que le Dieu fait, en sont une autre.

Instructions d'Ankh-chechonq
Les plans du Dieu sont une chose,
La pensée de l'homme en est une autre.

Israël
Proverbes
L'esprit de l'homme trace sa route,
(mais) Yahvé dirige ses pas.

Égypte
Sagesse d'Amenemopé
Ne faites pas d'excès dans la recherche du gain (pour) que vos besoins soient assurés.
Si des richesses vous sont assurées par vol,
elles ne passeront pas la nuit avec vous.
A la tombée du jour, elles ne sont pas dans votre maison :

On peut voir leurs places, mais elles n'y sont pas !

Elles se sont fait des ailes comme des oies,

et ont volé vers le ciel !

Israël

Proverbes

Ne te donne pas de peine, pour t'enrichir,

cesse tes pillages !

Tes yeux s'illuminent dessus,

qu'elles ont (déjà) disparu !

Parce que les richesses se font d'elles-mêmes des ailes,

comme un aigle* qui vole vers les cieux.

* Il n'y avait pas d'oies chez les Hébreux. Dans leur transposition du texte égyptien, cette oie a été remplacée par l'aigle.

Salomon plus sage que l'Égyptien?

Ainsi peut-on constater à quel point la sagesse des instructions égyptiennes millénaires avait gagné le grand roi Salomon, au sujet duquel la Bible (Livre des Rois, 2 et 5) déclare :

Dieu donna à Salomon une sagesse et une intelligence extrêmement grandes... **La sagesse de Salomon fut plus grande que la sagesse de tous les fils de l'Orient et que la sagesse de l'Égypte...** Il fut sage plus que n'importe qui...

Pourtant, cette sagesse s'éloigne des principes dont son Dieu l'avait gratifié, puisque, sur le tard et peut-être sous l'influence de ses nombreuses épouses étrangères, (Rois, 11,3-21) :

Le cœur de Salomon ne fut plus tout entier à Yahvé, son Dieu, comme avait été celui de son père David. **Salomon suivit Astarté**, la divinité des Sidoniens et **Milkom**, l'abomination des Amorrites. **Il fit ce qui déplut à Yahvé** et il ne lui obéit pas parfaitement, comme son père David. C'est alors que Salomon construisit à Kamosh, l'abomination de Moab, sur la montagne de Jérusalem, et à Milkom, l'abomination des Amorrites... **Yahvé s'irrita contre Salomon, parce que son cœur s'était détourné de Yahvé, Dieu d'Israël**, qui lui était apparu deux fois et qui lui avait défendu de suivre d'autres dieux. Mais il n'observa pas cet ordre. Alors Yahvé dit à Salomon : « Parce que tu t'es comporté ainsi et que tu n'as pas observé mon alliance, et les prescriptions que je t'avais faites, **je vais sûrement t'arracher le royaume et le donner à l'un de tes serviteurs** ».

Il faudrait maintenant rectifier l'imprudente affirmation, illustrant le début du Livre des Rois (11,2-5), suivant laquelle « la sagesse de Salomon était plus grande que toute la sagesse de l'Égypte ». Aux yeux de Yahvé, Salomon n'était pas si sage !

Quoi qu'il en ait été, il faut suivre Gustave Lefebvre, lorsqu'il écrivait que « la sagesse égyptienne avait contribué à modifier les croyances hébraïques relatives à l'au-delà. L'idée ultra-terrestre, promise à l'homme pieux, longtemps étrangère à Israël, apparaît. C'est seulement au temps du mouvement maccabéen (IIe siècle av. J.-C.) qu'apparut la notion d'une rétribution dans l'autre monde et une idée suffisamment précise de l'immortalité ».

A la fin des dynasties indigènes égyptiennes, à l'époque où la domination perse fut chassée par

La chapelle de Pétosiris
La chapelle de Pétosiris se présente comme une vaste construction de plusieurs pièces. Ce puissant et sage personnage ne manquait pas de se plier aux progrès de son temps. Vivant à l'époque de la facile conquête d'Alexandre, il fit décorer les murs de sa « maison d'éternité » de bas-reliefs classiques égyptiens, mais il y introduisit, pour la première fois, des scènes strictement hellénistiques.
Tombe de Pétosiris
fin du IVe siècle av. J.-C.
Touna el-Gebel (Hermopolis)

l'arrivée d'Alexandre en Égypte, **Pétosiris**, Grand Prêtre de Thot à Hermopolis, donnait l'exemple dans une prière subsistant encore sur un des murs de sa chapelle funéraire, à Touna el-Gebel, en Moyenne Égypte :

« Celui qui marche sur ta route, il ne trébuche pas : depuis que je suis sur terre, jusqu'à ce jour où je suis arrivé aux régions parfaites, il n'a pas été trouvé de faute en moi.

Ô vivants ! Si vous écoutez mes paroles, si vous vous y attachez, vous en éprouverez de l'utilité.

Elle est belle, la route de celui qui est fidèle à Dieu ! C'est un béni, celui que son cœur dirige vers elle.

Je vous dirai ce qui m'est advenu, je ferai que vous soyez informés des volontés de Dieu, je ferai que vous pénétriez dans la connaissance de son esprit.

Si je suis arrivé ici, à la ville d'éternité (la nécropole), c'est que j'ai fait le bien sur la terre et que mon cœur s'est complu sur le chemin de Dieu, depuis mon enfance jusqu'à ce jour.

Toute la nuit l'esprit de Dieu était dans mon âme, et dès l'aube je faisais ce qu'il aimait.

J'ai pratiqué la justice, j'ai détesté l'iniquité.

Je n'ai pas frayé avec ceux qui ignoraient l'esprit de Dieu.

J'ai fait tout cela en pensant que j'arriverais à Dieu après ma mort, car je connaissais le jour des Seigneurs de la Justice, quand ils doivent faire le partage en présence de celui qui passe au tribunal.

Ô vivants !... je ferai, que vous soyez instruits des volontés de Dieu. »

(Textes du tombeau de Pétosiris, n⁰ˢ 115 et 117).

L'Ibis de Thot
L'ibis était aussi un animal dédié à Thot. Son long bec évoquait sans doute sa qualité de « beau parleur ». Près d'Hermopolis, à Touna el-Gebel, avait été aménagée une nécropole souterraine, destinée surtout à recevoir les momies des Ibis sacrés, et aussi celles de quelques babouins. Sur le flanc des poteries contenant les ibis, des inscriptions faisaient allusion au **Thot trismégiste**, le « Trois fois Grand ». Nécropole de Touna el-Gebel Époque gréco-romaine.

Nous voici, maintenant, bien proches d'une profession de foi qu'aucun chrétien ne pourrait désavouer.

XIII
Théogamie,
mythe de la déesse mère
et barque sacrée

Un des mythes chers aux Égyptiens est celui où intervient l'action du principe divin, auteur de naissances miraculeuses. Il s'agit, en effet, d'un phénomène apparu très tôt dans le secret des temples, concernant l'union mystique du dieu et d'une mortelle.

L'union du dieu et de la reine

Le souvenir nous en a, d'abord, été conservé par un conte populaire, remontant à la fin de l'Ancien Empire (Papyrus Westcar). On y trouve une allusion à la naissance des trois premiers rois de la Ve dynastie, tous trois nés des œuvres du soleil, ayant désiré féconder l'épouse d'un de ses prêtres.

Le thème, probablement plus ancien, est par la suite repris au cours des siècles suivants. Ainsi apparaît-il clairement sous le règne de la reine Hatshepsout. Lorsque la grande souveraine conçut la géniale répartition des éléments architecturaux de son « Temple des millions d'années », à Deir el-Bahari, elle consacra le côté nord de la seconde colonnade à l'évocation de sa merveilleuse naissance.

Soucieuse de respecter le principe élémentaire du symbole, Hatshepsout situa donc les images du mystère, qu'elle révéla à tous pour la première fois, au nord-est du monument, en direction de la zone où le soleil devait poindre, en accord avec l'endroit de sa « naissance ».

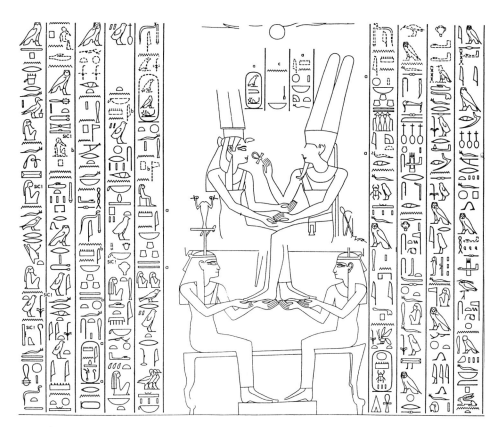

L'union

Hatshepsout rétablissait sans doute les antiques croyances, voilées par le secret et la poussière des siècles. Elle allait faire apparaître en plein jour, au moyen de magnifiques bas-reliefs polychromes, les étapes essentielles de la théogamie, en un mot : l'union du dieu et d'une mortelle.

On contemple d'abord la silhouette d'Amon (Imen = le Caché), trônant dans sa résidence céleste, ordonnant à Thot, le maître du temps, de descendre sur Terre et de choisir la plus noble et la plus belle des dames, digne de recevoir les faveurs divines.

Puis, convaincu par les informations délivrées au retour de son messager, Amon se manifeste sur Terre.

Théogamie, I
L'union d'Amon-le-Caché avec celle qu'il a choisie, la reine Iahmès, future mère d'Hatshepsout.
Relief – XVIIIe dynastie
Temple de Deir el-Bahari
Dessin de H. Carter

Théogamie, II
L'annonce faite à la reine
par Thot, le messager divin.
Relief – XVIIIᵉ dynastie
Temple de Deir el-Bahari
Dessin de H. Carter

Il apparaît alors dans la chambre de la reine Ahmès, l'heureuse élue. Le couple est situé dans le cadre irréel d'une sobre et chaste poésie : les textes précisent qu'il l'a trouvée endormie. L'union est alors suggérée par l'image du dieu et de la reine, assis l'un en face de l'autre, comme sur un nuage ! Deux déesses protectrices soutiennent leurs pieds pendant que leurs genoux se croisent. Au même moment, le « Caché » présente au nez de son amante le signe de vie, *ânkh*.

Les paroles prononcées par le dieu (lointaine préfiguration possible du Cantique des Cantiques) se révèlent moins chastes que la pudique scène de l'acte évoqué par le couple. Pour clore le circuit établi et lui donner le maximum de son efficacité, Amon tient un autre signe de vie, que la reine Ahmès reçoit de ses deux mains tendues vers lui.

Sans perdre un instant, Amon, revenu dans son univers, convoque alors Khnoum, le divin potier à tête de bélier, celui qui a façonné l'humanité à l'aide de la boue du Nil, de l'eau et de la paille. Il lui donne l'ordre de modeler, sur son tour, l'enfant et son *ka* (double ?), qu'il venait d'engendrer. Ceci pendant que le souffle de vie sera transmis au petit être en formation, par *Héket* à tête de grenouille. Puis, le grand dieu chargera Thot d'aller annoncer à la reine qu'elle mettra au monde une fille du dieu, destinée à régner sur Terre (fille, figurée sur le relief par un petit garçon !).

L'annonce faite à la reine

Ahmès demeura sous le choc de la surprise. Debout, figée, les bras lui tombant contre le corps, comme paralysée, elle écoute les paroles prophétiques de Thot.

Il n'est pas un visiteur du temple de Deir-el-Bahari, auquel cette scène est décrite, qui ne s'exclame : « Mais c'est la préfiguration de l'annonce faite à Marie ! » Voici donc une source d'inspiration à laquelle il faut se référer au cours de notre enquête sur les origines.

Théogamie, III
Khnoum, le potier divin, fabrique sur son tour l'embryon de la future reine Hatshepsout et de son *ka*. Relief – XVIIIe dynastie Temple de Deir el-Bahari Dessin de H. Carter

La naissance

Lorsque les temps furent révolus, *Khnoum* et *Héket*, patronne des naissances, encadrèrent la reine au cours de sa marche vers la « salle de l'accouchement ». La scène se passait dans le monde invisible du divin, où se trouvaient deux grands lits, figurés l'un sur l'autre. Ils présentent la forme étirée d'un corps de lion, tous deux munis de têtes prophylactiques du même animal. Ces lits superposés, qui devaient réellement être placés côte à côte, supportaient la reine accompagnée de ses suivantes, chargées de l'assister pendant la délivrance. Sitôt l'enfant paru, Thot le présente, ainsi que son *ka*, à son divin géniteur qui l'accueille et le reconnaît comme sien.

Simultanément, au palais royal, dans le monde visible, la reine Ahmès, tenant son rejeton dans ses bras, reçoit les soins des sages-femmes, vouées à la déesse Hathor. Ces femmes portent une tête de vache en rappel de la nourriture lactée reçue par le divin fœtus dans le giron de sa mère.

Sous le lit d'accouchement, deux vaches laitières sont figurées : elles sont affectées au nourrisson et à son *ka*. Ce lait, d'une essence spéciale, est désigné comme étant *ankh-ouas* et provient du globe de l'œil solaire.

Théogamie, IV
Marche de la reine vers la salle d'accouchement.
Relief – XVIIIe dynastie
Temple de Deir el-Bahari
Dessin de H. Carter

Théogamie, V
Le lit d'accouchement
supportant la reine
et la nourrice. En bas,
les deux vaches rappellent
l'œuvre nourricière
de la grande Hathor pour
le nouveau-né et son double.
Relief – XVIIIᵉ dynastie
Temple de Deir el-Bahari
Dessin de H. Carter

Rites de rajeunissement

La naissance de l'enfant-roi correspond, évidemment, à l'apparition du soleil revivifié, faisant allusion aux rites éternels du rajeunissement de l'année. Il convient de rappeler ici que le Jour de l'An est annoncé par la réapparition de l'étoile Sothis à l'horizon oriental, complétée par le retour de la crue du Nil, moment où doit être célébré le Jubilé annuel du Souverain.

Nil blanc – Nil rouge

Cette crue, gonflée des eaux des grands lacs équatoriaux et des fleuves d'Éthiopie, coule d'abord en Nil blanc, véhiculant les plantes (vert-blanc), arrachées au long de son cours ; puis, elle prend la teinte rouge des alluvions transportées par l'Atbara, le fleuve éthiopien qui se jette dans le Nil. Alors, le flot se présente au seuil de la

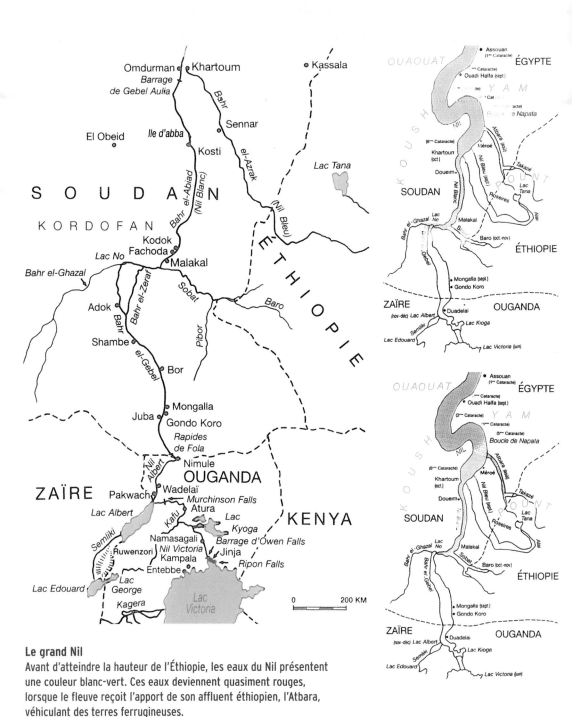

Le grand Nil

Avant d'atteindre la hauteur de l'Éthiopie, les eaux du Nil présentent
une couleur blanc-vert. Ces eaux deviennent quasiment rouges,
lorsque le fleuve reçoit l'apport de son affluent éthiopien, l'Atbara,
véhiculant des terres ferrugineuses.

deuxième cataracte, aux portes de la Nubie, comme teinté de sang, du sang de la déesse (la mère divine) qui remet au monde, chaque année, l'enfant roi-soleil, prêt à régner sur le pays tout au long de la nouvelle année.

Dans le domaine symbolique, on ne peut se priver de rêver parfois et de laisser son imagination vagabonder. Mais il peut arriver que la fiction rencontre la réalité, ainsi…

L'illustration d'un mythe

Lorsque Ramsès II fit creuser les deux grottes d'Ibchek et de Méha, sur le site d'Abou Simbel, non loin de la deuxième cataracte, c'était assurément pour renforcer le retour régulier et abondant de eaux nourricières, indispensables à la vie de l'Égypte. Parallèlement, son intention était aussi d'assurer le renouvellement du souverain qu'il était, assimilé à cet enfant solaire divin et renaissant, chaque année, pour le bonheur du pays.

Le mythe cosmique et profondément poétique allait être définitivement illustré, au XIIIe siècle avant notre ère, par ces deux symboles architecturaux : les deux sanctuaires d'Abou Simbel. Le rite consistait à déléguer au souverain et à sa Grande Épouse Royale, Nofretari, le pouvoir de jouer respectivement les rôles tenus, dans le cosmos, par l'étoile Sothis et par le soleil, afin que cette rencontre, cette union mystique, puisse provoquer, en ces lieux prédestinés à la frontière méridionale de la Nubie, le retour d'une fastueuse inondation annuelle.

Nofrétari et le rôle d'Ibchek

Le spéos du nord, creusé dans le monticule d'Ibchek, était destiné à la reine, alors que le grand temple souterrain, creusé au sud dans le rocher de Méha, allait devenir l'antre majestueux du roi-soleil.

Le pronaos d'Ibchek possède un mur décoré d'un bas-relief au thème unique : Nofretari, dans toute sa juvénile splendeur, y reçoit, des mains d'Hathor et d'Isis, la couronne de Sothis. Cette couronne, bien différente de celle d'Hathor aux plumes d'autruche, est ornée des très hautes rémiges du faucon royal. Hathor, image de l'Éros et de l'amour, se tient derrière la reine et maintient la coiffure. Devant Nofretari, se tient debout Isis, la mère éternelle, accomplissant un geste analogue.

Transformation de Nofretari
La reine Nofretari, Grande Épouse Royale de Ramsès II, reçoit la couronne de Sothis (aux cornes dominées par les deux hautes plumes droites), des mains d'Isis et de Hathor.
Relief peint, petit temple
XIXe dynastie
Abou Simbel, Nubie

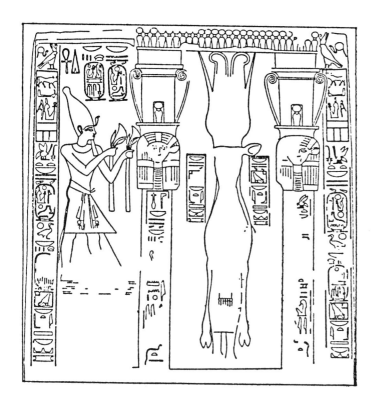

**Renouvellement
de Ramsès II**
Au Jour de l'An, Ramsès
va renouveler son image
en renaissant du giron
de la vache Hathor.
Temple – XIXᵉ dynastie
Abou Simbel, Nubie

**La vache divine
de Deir el-Bahari**
Détail du groupe composé
de l'image de la Vache
Hathor, faisant réapparaître
le roi à l'occasion
de son jubilé du Jour de l'An.
Statue peinte
XVIIIᵉ dynastie
Musée du Caire

Nofretari-Sothis

Entre les deux déesses, Nofretari est figurée comme marchant en direction de la sortie de la grotte, pour préparer son apparition. C'est aussi à l'intérieur même de la grotte d'Ibchek – giron de la déesse – que le mystère allait prendre forme et la naissance de l'enfant divin survenir. Dans le mur du fond du Saint des Saints de la grotte, apparaît la statue (maintenant très détériorée) de la vache Hathor, chargée de remettre au monde le roi rajeuni : elle le fait apparaître devant elle.

En parallèle à l'émergence du roi sortant des ténèbres, deux images de l'inondation, Hâpy, encadrent la porte et semblent sortir du sanctuaire.

Façade d'*Ibchek*
Quatre statues de Ramsès
et deux statues, aussi
monumentales (7 mètres)
de Nofretari, ornent la façade
de la grotte sacrée.
Petit temple d'Abou Simbel
XIXᵉ dynastie – Nubie

**Gros plan de la statue
de Nofretari**
Sur la façade d'*Ibchek*, la
reine apparaît, par deux fois,
parée de la coiffure de Sothis.
Petit temple d'Abou Simbel
XIXᵉ dynastie – Nubie

**Apparition de deux génies
de l'Inondation sortant
du Saint des Saints
de la grotte d'Ibchek.**
Petit temple d'Abou Simbel
XIXᵉ dynastie – Nubie

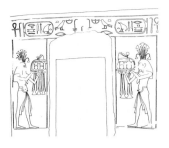

Si nous calquons les instants du calendrier solaire égyptien sur notre calendrier actuel, – héritier direct de celui d'Égypte, – nous devons retrouver l'apparition de l'étoile Sothis à la fin de l'année solaire, à l'issue des douze mois de trente jours. En complétant les 360 jours, c'est-à-dire en ajoutant cinq jours supplémentaires, les « *héryou* », on arrivera, avec l'aide du démiurge, au premier jour de la nouvelle année : le Jour de l'An, amené par l'Étoile. Les cinq jours précédents constituaient un espace très dangereux, où tout pouvait arriver. Ces jours, selon la légende, avaient été accordés par le démiurge, pour que la voûte céleste, la déesse Nout, puisse donner le jour à sa progéniture, celle qui avait été interdite et que la clémence divine lui avait permis de mettre au monde, après sa « faute » !

La place primitive de la Nativité

Ces enfants seront les membres de la famille osirienne : Osiris étant le premier avant la venue d'Isis, de Nephthys, de Seth et d'Horus. Je proposerais de placer la préfiguration de la fête de Noël le premier de ces jours, – le trois cent soixante et unième, – celui de la naissance du dieu martyr, Osiris, devant annoncer l'Étoile, et avant l'arrivée de l'Inondation, donc du Jour de l'An.

a

b

c

Ramsès-Horakhty
Détail de la statue de Ramsès-
Horakhty, que Nofretari-Sothis
a fait apparaître à l'Horizon.
Grand temple d'Abou Simbel
XIXᵉ dynastie – Nubie

a- Page de gauche en haut
**Apparition
de Ramsès-Horakhty**
Au-dessus de l'étroite porte
du spéos de Meha, a été aménagée
une niche, contenant une très
plastique statue de Ramsès,
représenté en Horakhty, c'est-
à-dire en « Horus de l'Horizon ».
Il porte la tête du faucon solaire.
Grand temple d'Abou Simbel
XIXᵉ dynastie - Nubie

b- Page de gauche en bas à gauche
« Roi Mage » du Sud
Un autre exemple, mais pris dans
le défilé des précurseurs des « Rois
Mages » venant du pays du Sud.
Ils ont apporté les produits
de leurs régions à celui qu'ils
reconnaissent librement comme
leur maître.
Tabouret de Toutânkhamon
XIXᵉ dynastie – Musée du Caire

c- Page de gauche en bas à droite
« Roi Mage » du septentrion
Un exemple pris dans la théorie
de précurseurs de « rois mages »
du septentrion. Ce seigneur,
sans entraves, adore et présente
des offrandes à l'image du roi
renaissant.
Relief, soubassement de grand
temple d'Abou Simbel
XIXᵉ dynastie – Nubie

ci-dessous
Étrangers en soumission
Image classique de représentants de pays étrangers soumis
à l'Egypte. Les ligatures qui les entravent sont très souvent à l'image
de tiges de lys et de papyrus.
Tabouret de Toutânkhamon – XVIIIᵉ dynastie – Musée du Caire

Méha et Ramsès-Soleil

Cet événement est immédiatement évoqué sur la façade du grand sanctuaire de Méha par la statue du Pharaon. Réaffirmé par une vigueur nouvelle, le souverain apparaît sous l'aspect d'Horus flamboyant, à tête de faucon. Il domine l'étroite porte d'entrée du grand temple, vêtu du seul pagne des premiers temps. Il semble avancer à l'appel de l'Étoile ; son image est flanquée de deux gigantesques hiéroglyphes, dont la signification exprime le dynamisme de ses mutations en nouveau soleil, et qui servent à compléter son nom jubilaire, *Ouser-Maât-Rê* : « Puissant est le vivant équilibre du Soleil. »

Les « Rois Mages »

C'est l'instant où il faut considérer avec la plus grande attention une longue frise, gravée à la base de la façade, près du sol. Pour saisir son extrême importance, il faut avant tout se rappeler les scènes officielles où Pharaon est montré faisant face à des types ethniques, représentatifs de diverses catégories d'humains, prisonniers, la plupart du temps agenouillés et, de toute façon, bras et jambes ligotés par les tiges des plantes héraldiques de Haute et de Basse Égypte. C'est le spectacle que l'on peut admirer à l'entrée du grand temple de Méha, encadrée de deux monumentales files de prisonniers : au nord, différents types d'Asiatiques, au sud, les Africains, ceci, dans presque tous les temples.

Mais en ce qui concerne le décor qui nous

occupe, il s'agit de l'hommage rendu à Pharaon par les représentants **libres** et **dignes** des pays voisins du sud et du nord de l'Égypte, avec lesquels Pharaon entretenait des rapports pacifiques et amicaux. Sans aucune attitude de soumission ou d'humilité, un genou à terre, bras levés en direction de la porte d'entrée du temple, une table d'offrandes étant placée devant chacun d'eux : ces Grands de la Terre avaient dû y déposer les présents destinés au roi-soleil. Ce double relief, d'une hauteur d'environ soixante-dix centimètres et touchant le sol, devait souvent être masqué en partie par les sables, accumulés par les vents. La représentation paraît unique, surtout à la place où elle est située.

Guidés par l'étoile Sothis, la préfiguration de ces « Rois mages », que l'on retrouvera plus tard dans l'expression de certaines religions (mazdéenne principalement), ajoute, à tous les symboles exprimés dans les deux temples, un souffle d'**universalité**, que la « Bonne Nouvelle » devait annoncer. (Voir le deuxième chapitre de l'Évangile selon saint Matthieu, le seul qui fasse allusion aux Rois mages.)

La barque d'Amon
Au cours d'une procession, la barque sacrée d'Amon est encensée par Ramsès II lui-même.
Stèle - XIXe dynastie
Musée du Caire

La barque sacrée

Devant repartir du spéos de Méha, la grande barque (qui véhiculait Amon, le puissant génie caché dans le fleuve) avait été posée sur le haut socle, destiné à la recevoir aux

Ramsès II escorte la barque d'Amon
Après les cérémonies du Jour de l'An et de l'arrivée de la crue, la barque sacrée d'Amon quitte Abou Simbel. Sur son chemin vers l'Egypte, la première étape est le temple de Derr où le roi l'accueille. Puis, il l'escorte vers le Nil, en direction des autres sanctuaires avant d'atteindre l'Égypte.
Temple de Ramsès à Derr
XIXᵉ dynastie – Nubie

pieds des quatre statues de ce Saint des Saints où Ramsès, flanqué d'Amon, est encadré par Harmakhis (*Hor-em-akhet*, à savoir « Horus dans l'horizon »), ainsi que par Ptah, le ténébreux.

Cette barque sacrée va désormais incarner l'Inondation elle-même et parcourir le chemin suivi par le flot, afin de se répandre sur l'Égypte métropolitaine.

Ramsès prit soin, tout au long du fleuve nubien, de fonder des sanctuaires destinés à recevoir la nef sacrée, à la fêter et à la rapprocher du sol sur lequel le flot allait se répandre. Il s'agit, principalement, des temples de Derr, de Ouadi es-Seboua, de Gerf Husein, de Dakka, avant que la nef ne regagne son illustre abri métropolitain de Thèbes.

Le réveil d'Osiris

Une étape indispensable au mythe fut celle de la très provisoire réanimation d'Osiris par Isis, afin qu'il puisse recevoir le germe divin. Ainsi était apparue, sur les murs des temples gréco-romains, la scène très secrète, montrant Osiris sur son lit funèbre, mais dont les ardeurs génésiques revivaient par l'œuvre d'Isis, la magicienne, transformée en oiselle. Cette dernière réveille Osiris de sa torpeur au moyen de l'air produit par les battements de ses ailes. A ce propos, n'est-il pas écrit, dans l'Évangile selon saint Matthieu (Mt., 1,18), que « la conception de Jésus fut l'œuvre du Saint Esprit chez une vierge ? » (la *parthenos* du texte de la tradition grecque : Isaïe, 7, 14).

Lit funéraire
Représentation du lit funéraire d'Osiris, sur lequel il fut réanimé par l'oiselle d'Isis qu'il put, ainsi, féconder.
Époque gréco-romaine
Musée du Caire

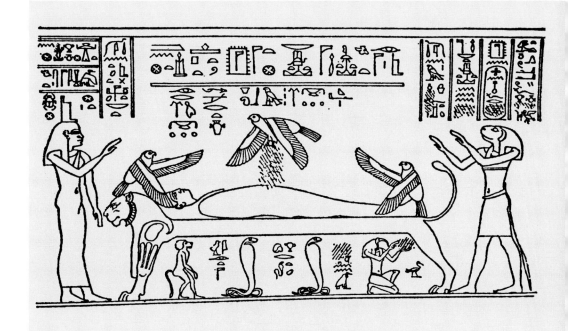

Mammisi de Philae
Flanc occidental du *mammisi*
(maison des naissances)
de Philae, dans le temple
d'Isis.
Ile de Philae à la frontière
entre la Nubie et l'Égypte
Époque gréco-romaine

Pharaon, fils de la déesse

À la fin de l'ère pharaonique, durant la dernière étape de sa millénaire aventure, le mythe, légèrement transformé par le syncrétisme de cette époque, s'enrichit d'éléments nouveaux, tenus secrets et souvent puisés dans la légende osirienne. D'autres, encore, apparaissent transformés ; mais ils s'évertuent surtout à mettre l'accent sur l'essentiel du message.

Les reliefs aux murs des mammisis (petits temples, désormais consacrés à la théogamie), évoquaient encore la naissance miraculeuse du roi. Pharaon est toujours interprété comme l'enfant solaire : il est Horus, mais il est aussi Ihy, le fils d'Hathor. Par ailleurs, il n'y est plus mis au monde par la Grande Épouse Royale ; mais il est

compris comme le fils d'Isis, la grande magicienne, elle qui n'avait, du vivant de son époux,
pu être fécondée par lui.

Désormais, la gloire d'Isis gagna le domaine
populaire, alors que, dans le secret des mammisis, elle figure accroupie, tenant dans son giron
l'enfant du dieu qui va régner sur les humains.

Naissance du jeune dieu et de son ka

Dans le couloir du premier pylône du temple
de Philae qui mène au mammisi, sont sculptées
certaines étapes de la naissance divine – évocation de vieux clichés transposés, ou modification
de scènes classiques. Ainsi, au registre inférieur,
peut-on retrouver, se profilant sur fond de papy-

Isis enceinte
La déesse est considérée
comme étant encore
enceinte, puisqu'elle
apparaît sur un fond
de papyrus, évoquant
les eaux de la mère (liquide
amniotique) : son enfant
est donc encore compris
comme étant dans son état
de fœtus. Elle est protégée
par Thot et Amon.
Relief, *mammisi* de Philae
Époque gréco-romaine

**Apparition
de l'enfant royal**
Naissance divine de l'enfant
royal et de son *ka*
(double ?).
Relief, mammisi de Philae
Époque gréco-romaine

Naissance d'Horus
Isis protège son enfant divin
qui apparaît au son
de la harpe, au Jour de l'An.
Relief, *mammisi de Philae*
Époque gréco-romaine

rus, les deux vaches d'Hathor. Ces deux bovidés rappellent, à plus de mille ans de distance, les deux vaches nourrices, représentées sous le lit d'accouchement de la reine Ahmès, mère d'Hatshepsout. Au registre supérieur, on assiste alors à la scène de la naissance, rendue par des images symboliques, ce qui ne devrait pas s'opposer à la compréhension de l'ensemble.

Au-dessus des deux vaches, on voit la figuration d'un bassin d'eau rectangulaire, d'où surgissent deux magnifiques lotus épanouis, fleurs d'où, le matin, se lève le soleil. Sur chacun de leurs calices, le petit dieu Ihy, tout nu, et son double (le *ka*) illustrent l'apparition de l'astre émergeant de l'ineffable fleur. L'image de ces deux petits êtres nous rappelle alors les scènes de la naissance de la future reine Hatshepsout.

Isis navigatrice

La vénérable Égypte restera de tout temps fidèle à la barque divine. Tardivement, cette sainte barque deviendra le symbole du retour de la fugueuse Hathor, mais aussi de son aspect apaisé, la divine mère, Isis. Retour de Nubie, la barque, contenant dans son naos la statue d'Isis, est alors portée en procession par les prêtres sur l'île de Philae, telle que l'on peut la voir sur un des pylônes du temple. Toujours sur les épaules des prêtres, elle regagne le kiosque de Trajan, édifié pour constituer son élégant refuge annuel.

Alors, entourée des prières, gratifiée d'*ex-voto* par le peuple et même par les légionnaires romains en garnison dans le sud de l'Égypte, la barque de la déesse, couverte de fleurs, est escortée par ses fidèles jusqu'au nord-ouest du delta.

La barque d'Isis
Dans la première cour du grand temple, c'est maintenant la barque d'Isis, et non plus celle d'Amon, qui apparaît. Elle est véhiculée par ses propres prêtres.
Relief, temple d'Isis – Philae
Époque gréco-romaine

Isis allaitant et Isis du phare, la navigatrice

L'effigie d'Isis, la Grande Mère divine, celle d'*Isis lactans*, son enfant sur les genoux, sera parfois échangée avec l'image d'*Isis pharia*, protectrice des navigateurs, accueillie dans le port nouvellement construit d'**Alexandrie**. La déesse est alors représentée tenant d'une main une corne d'abondance (ou bien encore ce symbole est-il remplacé par celui de l'enfant solaire) ; de l'autre main, Isis tient l'ancre marine. Ces images se sont rapidement répandues sur les rivages méditerranéens. Ainsi, sur les hauteurs de Cannes, l'église du Suquet qui domine la nécropole des moines des îles de Lérins, possède une statue de la Vierge tenant l'ancre des navigateurs. A partir de la Méditerranée, l'image d'Isis viendra même illuminer nos horizons brumeux : la silhouette de la sainte navigatrice hante encore les reliefs des chapelles de l'antique **Pannonie**, où elle figure flottant sur un frêle esquif dont elle tient la voile. Elle participait aux rites célébrés en son honneur à Rome, à Pompéi, à Herculanum… et dans bien d'autres villes. Elle aborde même en **Gaule**. Aussi la retrouve-t-on auprès des Nautes de Lutèce, dont elle deviendra la patronne. Elle figure encore dans les armes archaïques de la ville de **Paris**. Et, en Bretagne, on côtoie encore sa barque lors du « grand pardon », la barque des Saintes Maries de la Mer, contenant les Deux Maries (Marie-Jacobée et Marie Salomé).

La navigatrice à Cracovie

Il y a une quarantaine d'années, arrivant dans la ville de Cracovie le jour de la Fête-Dieu, je me serais imaginée facilement sur les bords du Nil au cours de la célébration de la Grande Mère, dont le culte pénétrait tous les autres cultes. Sur le chemin de la cathédrale, la barque sacrée, contenant la statue de la Vierge, pivot de la cérémonie, était, comme jadis, portée sur les épaules des plus fervents fidèles. Le chemin parcouru par la procession était jonché de pétales de fleurs et la statue, dont on attendait protection, rappelait, à l'évidence, celle de la suprême déesse qui, maintenant, traduisait tout le divin.

L'accumulation de tant d'indices ne peut être le fait d'éternelles coïncidences. En revanche, les réminiscences de certains cultes très fortement enracinés ne seraient pas impossibles à admettre.

L'Égypte avait subi nombre d'épreuves pendant les derniers siècles de son antique histoire. Lorsque Alexandre conquit, en « libérateur » (333 av. J.-C.), contre les Perses, la terre d'Égypte, les Ptolémées, successeurs du conquérant, allaient rapidement drainer l'élite intellectuelle du Proche-Orient vers la nouvelle ville : Alexandrie. Mais il s'agissait de l'*Alexandria ad Aegyptum*, comme on l'appelait alors, très éloignée du réel environnement nilotique.

La Vierge du Suquet
Cette statue, toute dorée, rappelle les images de l'antique Isis du Phare, rapportée sur la côte française par les navigateurs. Elle tient l'ancre marine et l'enfant Jésus.
Église du Suquet, cimetière des moines des îles de Lérins
XIXᵉ siècle

Armes de la Ville de Paris
Anciennes armes de la ville de Paris, évoquant l'emblème des **Nautes de Lutèce**. La barque égyptienne est ornée de figures de proue et de poupe à l'image de statuettes d'Osiris et d'Isis. L'étoile de Sothis domine l'image d'Isis, assise sur son trône.
Archives de l'Hôtel de Ville de Paris – XIXe siècle

Les Juifs à Éléphantine

Que se passait-il à l'intérieur du pays, parfaitement ignoré du Museum et des philosophes ? Cette éternelle terre d'accueil s'était enrichie, depuis plusieurs siècles, d'une importante et florissante colonie juive, avant et après la « captivité à Babylone », installée dans la ville d'Éléphantine, où – semble-t-il – la première synagogue avait été créée, et ceci bien avant que son plan n'apparaisse à Jérusalem. L'édifice était flanqué de son école, ainsi construite suivant la coutume égyptienne qui plaçait la maison d'enseignement près du temple.

Une version grecque de la Bible hébraïque avait été reproduite par la communauté juive d'Alexandrie au IIIe siècle avant notre ère, sous le patronage de Ptolémée II Philadelphe (285-240 av. J.-C.), pour laquelle, a-t-on prétendu, soixante-dix savants, pendant soixante-dix jours, avaient œuvré pour en faire la traduction grecque : les Septante.

Croyances juives au IIe siècle avant notre ère

Cependant, ce n'est vraiment qu'à partir du IIe siècle avant notre ère que la sagesse égyptienne contribua à modifier les croyances hébraïques relatives à l'au-delà. La doctrine concernant l'immortalité de l'âme n'apparaît pas, répétons-le, avant le IIe siècle av. J.-C. (Genèse 7, 10) ; et le motif de la balance surgit seulement dans les écrits juifs tardifs (Enoch, 4,1 - 61-82).

Isis *lactans*
Voici la statuette classique
d'Isis, mère divine,
« allaitant » son fils Horus.
Le fait qu'elle ne lui présente
pas son sein, indique
seulement qu'il s'agit
de la déesse **dans l'attente**
de la naissance de l'héritier
d'Osiris.
Bronze – Époque ptolémaïque
Musée du Louvre

À l'époque où la religion du Christ gagna
l'Égypte, Isis à l'Enfant Horus devait d'emblée,
et naturellement, devenir l'image de la Vierge
Marie*, tenant sur ses genoux l'enfant Jésus.

* Le nom Marie,
ou Myriam, est très
probablement tiré
du participe égyptien
meryt : l'aimée (de Dieu).

XIV

DANS LE SECRET
DES SANCTUAIRES

À l'issue de ce trop rapide tour d'horizon qui n'a pas la prétention d'avoir couvert toutes les faces du génie égyptien et de son rayonnement, il est aisé de constater l'ampleur, la variété et la qualité de l'héritage qu'une partie de l'humanité doit à ces grands ancêtres.

Dès le début de ce travail apparaissaient les deux sujets essentiels de notre admiration : l'établissement du calendrier solaire et la lointaine création de l'alphabet, d'où découlent tant de possibilités fondamentales et, avant tout, un immense fleuve de connaissances. Mais dans combien de domaines encore avons-nous hérité du savoir de ce peuple ! Il suffit de penser aux magistrales réalisations de l'architecture ou à celles de la chimie, à l'apport de la médecine, dont Hippocrate a largement profité, mais surtout à cette sagesse proverbiale qui, de dynastie en dynastie, s'est répétée, toujours enrichie de principes renouvelés, nécessaires à l'évolution de chaque individu.

Le remarquable esprit d'observation, dont ont fait preuve les riverains du Nil, les avait incités à utiliser l'image et le comportement de leurs animaux pour créer un langage symbolique si pertinent, qu'il a traversé les siècles et aussi les frontières. Ce langage était facile à décrypter, tant il était justement employé. Le jeu de l'oie ou, sur un registre tout différent, l'Horus – saint Georges, en sont deux témoins parmi tant d'autres qui ont été adoptés, complétés ou amendés, mais qui ont pénétré le vaste monde sans transformations importantes, lesquelles les auraient rendus impénétrables.

Nul ne pourrait contester cette qualité majeure de l'Égyptien, reconnue par tous : « Moïse fut instruit de toute la sagesse des Égyptiens », nous enseigne la Bible ; « C'est d'Égypte qu'est sortie la sagesse », déclarait un prince de Byblos. Admirée de ses voisins, elle l'était naturellement de ses plus proches, les Hébreux, avec lesquels les contacts furent entretenus la plupart du temps.

L'histoire de Joseph à la cour de Pharaon en est la plus vivante démonstration, nourrie de détails vécus ou de souvenirs rapportés. Le rayonnement de la civilisation égyptienne sur Israël est évident. En retour, la Bible fut le premier livre des « temps modernes », bien avant le déchiffrement des hiéroglyphes, qui nous a donné, par la véritable « saga » de Joseph, un aperçu saisissant, quoique limité et romancé, de la vie en Égypte à l'époque des Pharaons.

On a pu constater, au cours des dernières dynasties pharaoniques, à quel point la croyance osirienne avait supplanté toute autre discipline morale, tous autres concepts métaphysiques. Il ne restait plus qu'à reconnaître les principes, attachés au rayonnement de la grande Isis, pour rejoindre l'inspiration qui permit d'adopter la

Tombeau de Pétosiris
Revenons au personnage
qu'était Pétosiris.
En sa qualité de Grand Prêtre
de Thot, « Deux-fois-grand »
(fautivement traduit par
« Trismégiste »), on est
assuré, en consultant
les textes, inscrits
sur les murs de sa chapelle,
près de la ville d'Hermopolis,
qu'il fut capable
de transmettre les plus
hautes traditions.
Chapelle de Pétosiris
IVe siècle av. J.-C.
Touna el-Gebel

nouvelle foi : **l'amour de son prochain**. Le terrain en était préparé en raison des souffrances supportées par l'Égypte durant les invasions successives, relayées par la domination romaine.

Dans la ville d'Alexandrie, on philosophait entre grands esprits, pendant que, dans l'Égypte profonde, le peuple continuait à courber l'échine sous le poids des impôts, mais autrement ignoré des occupants. Pourtant, quelques vénérables seigneurs de Moyenne et de Haute Égypte continuaient à modeler leur existence conformément au mythe osirien, **devenu la réelle religion populaire du pays**, croyance à laquelle avait même souscrit la troupe des « petits » occupants, mieux traités sur les bords du Nil qu'à Rome : les modestes colons, les légionnaires, puis les mercenaires venus de l'étranger.

Au cœur de la Moyenne Égypte, Pétosiris, Grand Prêtre de Thot à Hermopolis, face à Tell el-Amarna, ne déclarait-il pas encore à l'époque où

le pays recevait Alexandre (333 av. J.-C.) : « Si je suis arrivé ici, à la ville d'éternité, c'est que j'ai fait le bien sur la terre et que mon cœur s'est complu sur la voie de Dieu. » (Le texte complet est publié dans cet ouvrage).

Cet état d'esprit qui habitait Pétosiris, n'était pas nouveau, alors que les Hébreux en étaient encore au concept d'une pâle survivance dans le *shéol*. Au début du deuxième millénaire avant notre ère, un prince de Siout faisait déjà graver dans son tombeau :

« J'avais toujours présent à l'esprit, que je devrai arriver à Dieu, en ce jour de la mort. »

On mesure alors qu'il n'est pas question d'introduire un intermédiaire entre la profonde pensée égyptienne et la religion chrétienne primitive. Le germe en avait été semé sur les rives du Nil depuis « le temps de Dieu ». A ma grande satisfaction, j'ai pu lire, sous la plume d'encore rares et courageux collègues, une phrase qui me paraît d'une évidence indiscutable : « **C'est la religion égyptienne qui a pavé la voie au christianisme**. » Partout où le christianisme a pénétré, le culte d'Osiris, puis d'Isis, l'a précédé de quelques siècles, nivelant le terrain, préparant les esprits à accueillir les enseignements universalistes du Christ.

Le christianisme n'avait donc nul besoin de la religion hébraïque pour être introduit en Égypte, nul besoin d'un relais, car, depuis les origines, l'Égypte laissait entrevoir les aspects précurseurs de la pensée chrétienne. La fraternité, l'humanisme et la légendaire sagesse de cette civilisation ne peuvent nous échapper et semblent être concrétisés par la réponse faite à Pharaon par un magicien, auquel il était demandé pour une expérience de couper le cou d'un prisonnier de guerre, puis de le « recoller » ! Sa courageuse réaction caractérise la conscience de l'homme d'Égypte : « Non ! pas un être humain, Souverain mon maître ! car il est défendu de faire pareille chose au troupeau de Dieu ! » (Papyrus Westcar ancien empire).

Nous ne possédons aucun document égyptien laissant supposer qu'un certain Isaâ ou encore **Iéshoua**, l'homme de Nazareth, dans la Galilée des Nations, avait entrepris d'enseigner aux hommes d'Égypte la charité, la tolérance, une lucide bonté, l'amour de son prochain, qualités auxquelles ils souscrivaient depuis toujours… Pourtant, la terre de Juda était très proche de l'Égypte, et Jérusalem entretenait des relations avec sa voisine, la ville de Memphis !

Scène de « baptême »
Souverains, comme civils, se firent souvent représenter, dans leurs chapelles funéraires, recevant cette essentielle purification. L'eau sainte est figurée par un fil continu de signes de vie (*ânkh*).

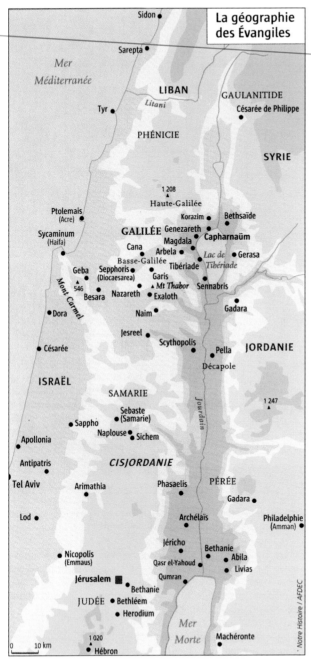

La géographie
des Évangiles

Sidon

Sarepta

Mer
Méditerranée

LIBAN

Litani

Tyr

PHÉNICIE

GAULANITIDE

Césarée de Philippe

SYRIE

1 208
Haute-Galilée

Ptolemais
(Acre)

Korazim

Bethsaïde

Sycaminum
(Haifa)

GALILÉE Genezareth

Capharnaüm

Cana

Magdala

Arbela

Basse-Galilée Tibériade

Lac de
Tibériade

Gerasa

Geba

Sepphoris
(Diocaesarea)

Garis

546

Besara Nazareth

▲ Mt Thabor

Exaloth

Sennabris

Dora

Naim

Gadara

Mont Carmel

Jesreel

Césarée

Scythopolis

Pella

Décapole

JORDANIE

ISRAËL

SAMARIE

Sebaste
(Samarie)

1 247
▲

Sappho

Naplouse

Sichem

Apollonia

Antipatris

CISJORDANIE

Tel Aviv

Arimathia

Phasaelis

PÉRÉE

Gadara

Lod

Archélaïs

Philadelphie
(Amman)

Jéricho

Bethanie

Nicopolis
(Emmaus)

Qasr el-Yahoud

Abila

Livias

Jérusalem

Qumran

Bethanie

JUDÉE Bethléem

Herodium

Jourdain

Mer
Morte

Machéronte

0   10 km

1 020
Hébron

Notre Histoire / AFDEC

La fuite en Égypte

~~Alors~~, pourquoi reléguer aux oubliettes le très important mouvement vers l'Égypte de la Sainte Famille, pour fuir les « égorgeurs » d'Hérode ? L'événement figure pourtant dans le seul Évangile selon saint Matthieu. Est-ce un fait réel ou est-il de portée symbolique ? Et quel symbole ?

Une autre question se pose alors. Pourquoi la Sainte Famille aurait-elle choisi la direction du sud, vers l'Égypte, alors qu'il aurait été plus rapide et moins dangereux de gagner un pays proche, à l'est ou au nord ?

La première réponse qui saute aux yeux, est celle que le professeur el-Assiouty avait proposée, il y a quelques années. Ce dernier avait suggéré, que l'origine de la famille de Jésus devait être égyptienne, ainsi que beaucoup d'autres groupes familiaux de cette région, la plus riche : la Galilée des Nations !

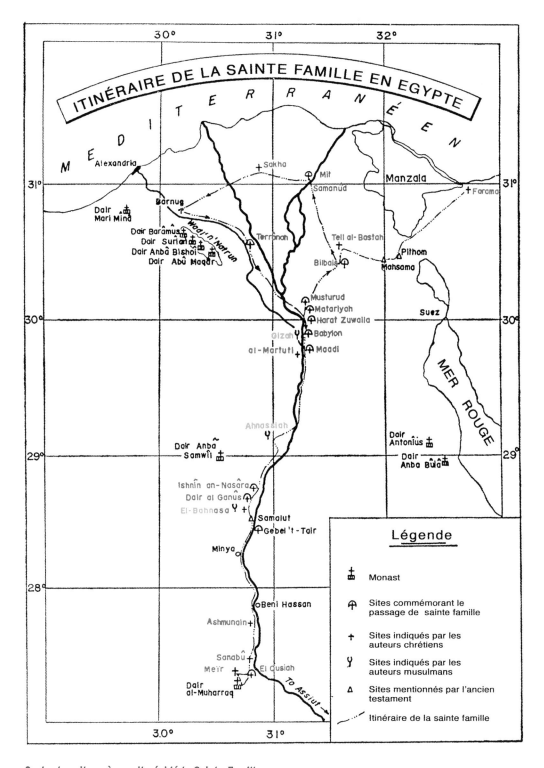

Carte des sites où aurait résidé la Sainte Famille

Cette carte, dressée par le père Meinardus, indique les emplacements des églises, érigées pour commémorer le passage de Jésus (Egypte du Nord et Moyenne Egypte).

Fuite de la Sainte Famille vers l'Égypte
Cet événement fut longuement commenté, en Égypte, au début de l'ère chrétienne.

Page ci-contre
Famille osirienne
Horus, le fils posthume, est représenté en parallèle avec sa mère Isis, encadrant l'image d'Osiris, ce dernier ayant quitté le domaine des vivants.
Or et lapis-lazuli (l'incrustation de la perruque d'Isis a disparu).
Triade d'Osorkon
XXIIᵉ dynastie
Musée du Louvre

L'Égypte semble avoir gardé le souvenir de ces événements par « l'arbre de la Vierge » à Matariya (Héliopolis), très religieusement soigné encore de nos jours. Il commémorait le passage de la Vierge avec l'enfant Jésus. L'arbre aurait été replanté quelques années avant le IIᵉ siècle. Il faut aussi tenir compte des localités où la Sainte Famille aurait résidé et sur le sol desquelles de petites églises furent érigées. Les traces s'arrêtent au sud de Meir, en Moyenne Égypte, et au moins sept sites sont mentionnés dans les écrits coptes.*

*cf.. Otto R.A. Meinardus, « In the steps of the Holy Family, from Bethlehem to Upper Egypt.

Cette « Fuite en Égypte » fut à l'origine d'affabulations locales (?) nourries de miracles prêtés à l'intervention de l'enfant Jésus.

L'arbre de la Vierge
Ces vestiges appartiennent
à ce qui fut l'arbre, à l'ombre
duquel la Vierge Marie
se serait abritée, à Matariya,
près d'Héliopolis, au cours
de son périple égyptien.
Des derniers rejets de l'arbre,
une seule branche subsiste
qui reçoit, encore
actuellement, tous les soins
de la population copte.
Cf. XIV, 5

La plus impressionnante rapportée dans l'« *Évangile arabe de l'Enfance* et reprise dans le *Pseudo Matthieu*, fut décrite, avec des commentaires détaillés. On la retrouve plus tard relatée dans les « *Petites Heures de Jean de Berry* » (B.N.F. Lat. 1814).

Ainsi, près d'Héliopolis, **à Sotine, à l'entrée de la Sainte Famille dans un temple, toutes les statues des idoles tombèrent de l'autel**. Le phénomène fut si impressionnant que le Gouverneur Aphrodisias vint, avec une importante escorte pour « calmer et adorer celui qui avait une telle puissance sur les dieux ».

Selon les diverses sources, le séjour* en Égypte de la Sainte Famille aurait duré trois, cinq ou sept années (cf. *La Légende dorée*). Puis l'ange ordonna à Joseph de quitter Assiou et de rentrer directement à Nazareth en Galilée.

Pourquoi ce silence ?

Si l'on ne peut pas répondre à la question **comment** l'héritage était passé en Égypte, alors on pourrait se demander **pourquoi rien n'est apparu** des événements **concernant la nouvelle foi pendant** presque les **deux premiers siècles** après la mort du Christ.

Le peuple vénérait la grande Isis, mais continuait aussi à réserver tous ses espoirs à la divine famille osirienne : dieu père, Isis la mère et Horus l'enfant, né d'un miracle, héritier de l'ancestrale **théogamie**. Cette « trinité » allait se transformer plus tard, grâce à l'enseignement de l'Église.

* Cf. Gertrud Schiller,
vol. I, 3ᵉ édition, 1981,
pp. 128 à 131 :
Ikonographie
des Christlichen Kunst.

Dieu et les dieux

Mais que se passait-il donc à l'intérieur des temples d'Égypte où, dans le plus grand secret, l'énergie divine était constamment entretenue, rechargée de puissances même ? Car, sans ces précautions de préservation, on pouvait craindre la fin de l'Univers.

Au cœur des temples égyptiens, on vénérait donc efficacement et journellement le *neter*. Il s'agit de ce que nous traduisons, faute de mieux, par le mot « dieu » et susceptible d'être appliqué à toutes les manifestations essentielles et multiples de la nature, lesquelles, pour les Égyptiens, régissaient ses forces. Cette religion n'était pas une mystique, mais bien plutôt une physique qui, pour suivre l'analyse d'A. Piankoff, rappelle – ou inspira plutôt – étrangement les idées d'Héraclite d'Éphèse.

En effet, ces forces constituant l'univers étaient, au demeurant, fortement hiérarchisées et devaient se recharger de dynamisme à la source ultime, c'est-à-dire auprès du démiurge, pour lequel les rites assuraient la conservation, sans cesse susceptible de se dissoudre.

Encensement par le roi
Au cours de la cérémonie du culte, l'encensement était essentiel pour assurer la purification. Il se faisait généralement en utilisant de l'oliban provenant du pays de Pount.
Peinture de tombe
XVIIIe/XIXe dynastie
Thèbes-Ouest

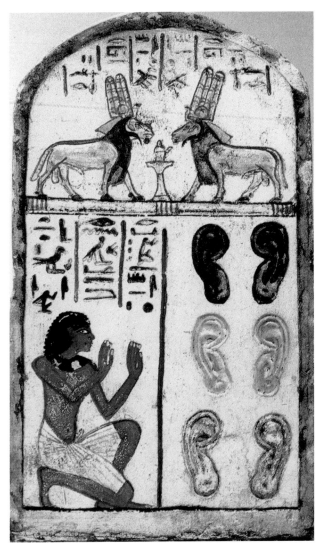

La prière de Baï
Exemple de piété populaire.
Un des ouvriers
de la nécropole royale,
nommé Baï, implore Amon
afin que sa prière soit
exaucée. Dans ce but,
il a représenté, sur sa stèle,
les « oreilles qui écoutent
les prières ».
Stèle gravée – XVIIIᵉ dynastie
Deir el Médineh

Il paraît donc bien désuet de continuer à considérer comme des « dieux » ces silhouettes humaines souvent complétées par des têtes d'animaux et dont les représentations couvrent les murs des temples. Elles constituent simplement les diverses expressions du divin. Leurs attributs permettaient de distinguer leurs fonctions particulières dans les rouages de la vaste « machinerie » divine : c'étaient, encore une fois, les énergies à l'œuvre dans la conservation de l'Univers. Il existait donc communément **les dieux**, mais aussi – et surtout – **Dieu**, que É. Drioton appelait **le Dieu des sages**, celui que les sages nommaient, dans leurs écrits sacrés, le « Ouâ ouâty », c'est-à-dire, le « Un Unique ».

Aussi, lorsqu'on lit, dans le *Livre des Morts* (qui paraît presque entièrement constitué dès le début du Nouvel Empire), que **Dieu sonde les cœurs et les reins**, phrase reprise plus tard dans l'Apocalypse*, on peut être certain que l'intention des rédacteurs était, dans ce cas, d'évoquer l'unique et sublime force divine.

Stèle Gulbenkian
La collection Gulbenkian, à Lisbonne, expose cette stèle votive, où l'orant déclare que « Dieu sonde les coeurs et les reins », affirmation que l'on trouve citée dans le *Livre des Morts*, mais aussi dans l'Apocalypse. Stèle – fin XVIIIe dynastie Musée Gulbenkian, Lisbonne

Rituel chrétien primitif ?

Il faut alors avoir le courage de rechercher d'éventuelles réminiscences dans le rituel le plus voisin, celui du culte pharaonique. Avant la Basse Époque, les scènes les plus courantes, présentées toujours sur les murs des temples, illustraient l'éternel dialogue de l'Être divin avec Pharaon.

L'acte figuré était essentiel : c'était celui de l'offrande, faite par le souverain, afin de recevoir, en retour, la généreuse protection du dieu

*Apocalypse, IV, Thyatire : « Toutes les Eglises savent, que c'est moi qui sonde les reins et les cœurs. » *La Bible de Jérusalem* p.2124 (ed. du Cerf, 2003)

Harpocrate sur le lotus
L'enfant royal, à l'image de l'enfant du dieu, est représenté mis au monde par le lotus sacré.
Relief – Époque saïte
Musée du Caire

et de bénéficier de son éventuelle intervention. Plusieurs fois par jour, le dialogue était repris ; mais les instants déterminants constituaient évidemment ceux du lever et du coucher du dieu.

L'apparition provoquée du dieu

En ce qui concerne le lever, le moment critique était celui où le globe apparaissait. Par « magie sympathique », il est fort probable que l'image du soleil, jaillissant de son lotus, – répétée à profusion à l'époque tardive –, devait déjà être utilisée dans les temples les plus anciens, mais n'était pas encore vulgarisée. Cette scène est largement connue et présente un magnifique lotus épanoui, sur le calice duquel apparaît l'enfant solaire accroupi, un doigt à la bouche ou tel autre symbole équivalent.

Dans le trésor funéraire de Toutânkhamon, le soleil devant éclore du lotus est remplacé par la tête du jeune roi.

Ailleurs, le prêtre, face à l'horizon oriental, avait pour charge de lever un calice, analogue à celui qui fut retrouvé devant la porte orientale du caveau de Toutânkhamon. Alors, le soleil renaissant devait apparaître au-dessus de la fleur. C'était l'instant de l'illumination divine, l'instant de ce que l'on pourrait comparer à la communion du prêtre au moment de « l'Eucharistie ».

Devant le calice en calcite de ce trésor, que j'avais pu présenter au Petit Palais à l'exposition « Toutânkhamon », à Paris, le général de Gaulle parut extrêmement frappé par le rapprochement que je suggérais, du lotus épanoui et du calice, levé par le prêtre à la messe et dominé par la grande hostie, mise en parallèle avec le soleil. Le général en fit immédiatement le commentaire à madame de Gaulle, très émue de ce rapprochement inattendu et venant de si loin !

Toutânkhamon renaissant du lotus
Dans le trésor funéraire du jeune roi avait été déposée l'image symbolique de la renaissance du défunt : la tête du souverain surgissant du lotus évoquait l'Horus-Enfant : Harpocrate.
Trésor de Toutânkhamon
XVIIIᵉ dynastie
Musée du Caire

Calice de Toutânkhamon
Cette magnifique coupe est
en forme de lotus épanoui.
Elle a été placée au pied
de l'entrée de la tombe
du roi pour lui permettre
de réapparaître, tel le soleil,
au matin de sa résurrection,
mis au monde par la fleur
sacrée.
Trésor de Toutânkhamon
XVIIIᵉ dynastie
Musée du Caire

La « communion » d'Aménophis IV et de Nefertiti

Cet acte final de la « communion » me paraît avoir été conservé par certains bas-reliefs, retrouvés dans la ville d'Akhet-Aten, « L'horizon du Globe » (Tell el-Amarna). On sait que le souverain réformateur, Aménophis IV-Akhénaton, plutôt que de heurter son entourage, voulut commenter les rites, afin de les faire comprendre et de faire partager ses convictions. Sans doute souhaitait-il exposer le secret du culte divin, célébré dans le Saint des Saints du temple solaire ?

Parmi toutes ses innovations, le souverain eut-il l'audace de faire représenter, sur les murs de son grand temple, les scènes du culte jusque-là secrètes : celles-ci pourraient encore nous paraître comme une préfiguration de l'Eucharistie.

On peut, en effet, admirer l'image du globe solaire rayonnant, dont les traits sont terminés par de petites mains, présentant au roi et à Nefertiti le signe de la vie, *ânkh*, ainsi irradiés par Aton ; les souverains sont accompagnés par trois de leurs six filles. Ainsi, le couple royal se livre au réel « sacrifice de la messe » : c'est l'offrande des deux souverains, présentant aussi haut qu'ils le peuvent, chacun, une sorte de coffret* (pyxide ?) en forme de double cartouche. Sur chaque cartouche sont gravés les noms et épithètes du Créateur, le globe et sa manifestation, Shou, le souffle solaire, à savoir : « **Hor-Akhty se réjouit dans l'Horizon, en son nom de Shou qui est dans le Globe.** »

Il s'agit bien du sacrifice suprême qui, jusqu'au règne du réformateur, ne devait pas être divulgué. La comparaison avec l'acte essentiel de l'office est trop visible pour ne pas être tentée.

« Communion »
des souverains d'Amarna
Akhenaton et Néfertiti élèvent, chacun, jusqu'au globe solaire, l'offrande suprême d'une double boîte au nom de l'émanation solaire : Shou.
Relief de tombe
XVIIIᵉ dynastie
Tell-el-Amarna (Akhet-Aton)

* Un coffret analogue a été trouvé dans le trésor de Toutânkhamon.

L'offrande du corps divin était effective. Sans doute fut-elle, plus tard, après des millénaires, traduite par ces mots : « Ceci est mon corps, ceci est mon sang. »

La pompe pontificale

Quelques images, provenant aussi de temples ou de tombes, nous permettent d'imaginer ce qui put influencer la pompe pontificale à l'époque où le christianisme s'affirma officiellement. Sans doute, encore, les successeurs de saint Pierre firent-ils des emprunts au vieux rituel égyptien.

Boîte en forme de double cartouche
Cette boîte rituelle au nom de Toutânkhamon, a été trouvée dans le trésor funéraire du jeune roi.
Trésor funéraire de Toutânkhamon
XVIIIe dynastie
Musée du Caire

Akhenaton défilant sur son trône
On peut remarquer la façon dont le trône royal est posé (et véhiculé) directement sur les brancards.
Relief de tombe
XVIIIe dynastie – Tell el-Amarna

**Horemheb défilant
sur son trône**
Le trône de Horemheb, comme
aussi celui de Ramsès plus
tard, est véhiculé par des
porteurs et posé **directement**
sur des brancards.
Relief – XVIIIe dynastie
Gebel Silsileh

**Procession du pape,
place Saint-Pierre à Rome**
La sedia gestatoria du Saint-
Père, était, pour la procession,
portée, d'une façon analogue,
sur des brancards.

**Flabellum à plumes
d'autruche**
La comparaison avec
les flabella, dont le pape est
entouré pendant la procession,
est frappante.
Relief peint – tombe
d'un des fils de Ramsès III
(Imen-her-khopchef)
XXe dynastie – Vallée des Reines

On constate, au Nouvel Empire, que, pour de très illustres occasions, le souverain pouvait se faire véhiculer sur son trône, **les pieds du meuble posés directement sur les brancards** soutenus par des porteurs libyens (parfois) ou kouchites. Une des plus vivantes représentations fait probablement allusion au couronnement d'Horemheb.

Le roi, ainsi présenté à l'admiration de la foule, est entouré de grands éventails faits de plumes d'autruche. Or, lorsque le Saint-Père défilait place Saint-Pierre, il y a encore quelques années, c'était assis sur sa *sedia gestatoria*, les pieds du meuble **posés directement sur les brancards** portés par les Suisses de sa garde. D'autres servants dressaient les mêmes éventails aux formes typiques, analogues à ceux des Egyptiens, ornés d'aériennes plumes d'autruche : la comparaison est saisissante.

On sait que, pour redonner la vie à tout être qui

a subi une transformation, il convenait, dans l'antique Égypte, d'accomplir sur son image la cérémonie de « l'Ouverture de la bouche et des yeux ». Le prêtre officiait devant la momie avant son grand voyage, de même qu'il réanimait ainsi les statues qui venaient d'être achevées. Ne sommes-nous pas étonnés de constater qu'aux instants où le Souverain Pontife est désigné à cette charge suprême, on procède sur celui qui vient d'atteindre cette sublime élévation, à « l'Ouverture de la bouche et des yeux » ?

Lieux de culte des Chrétiens primitifs

D'autres exemples auraient pu être cités à propos de ces étonnants rapprochements ; mais il importe, maintenant, de se pencher sur les lieux de culte primitifs chrétiens en Égypte.

Le trait dominant du contexte, dans lequel le

Page suivante
Intronisation du pape
Parmi les cérémonies rituelles de l'intronisation du Saint-Père, se situe en premier « l'Ouverture de la Bouche et des Yeux ». Très probablement aussi vieille que la civilisation égyptienne, cette « Ouverture de la Bouche et des Yeux » était destinée à procurer vie à la momie avant de l'introduire dans le caveau. Mais elle était aussi exécutée sur les statues avant qu'elles ne deviennent « opératoires ». Tombe de Toutânkhamon XVIIIᵉ dynastie - Thèbes-Ouest

Archange
Cette image a été peinte sur un mur du temple de Ouadi es-Seboua, et a recouvert partiellement des textes hiéroglyphiques.
Temple de Ouadi es-Seboua
Ramsès II – XIXe dynastie
peinture d'époque chrétienne
Moyenne Nubie

Vase de consécration
Cette belle poterie, au couvercle dominé par une croix, avait servie à transformer un temple dédié à Amon, en église chrétienne. Je l'ai découverte au moment du démontage du temple de Ouadi es-Seboua, enfoui sous l'anci
en autel pharaonique.
Temple de
Ouadi es-Seboua
XIXe dynastie
(Ramsès II)

christianisme s'est développé en Égypte, est celui de la pauvreté. Ces dispositions valaient aussi pour le phénomène des anachorètes, apparu primitivement en Haute Égypte et principalement dans le désert rocheux de la rive gauche de Thèbes.

Le manque de moyens matériels pesait évidemment sur la construction des fondations religieuses. Aussi, la plupart des temples pharaoniques furent-ils, en partie, transformés en églises. Le plus spectaculaire des exemples fut le grand temple d'Isis à Philae. Dans ce sanctuaire, il survint même que les deux cultes en arrivèrent a rivaliser, jusqu'à provoquer des luttes sanglantes !

Souvent les reliefs pharaoniques furent martelés ou recouverts de plâtre, pour recevoir ensuite de pieuses images et des croix. Parfois la représentation divine seule était masquée et remplacée par la figure à vénérer dans l'antique cadre pharaonique. C'est ainsi que, sur le mur du fond de la grande salle du temple d'Amon, à Ouadi es-Seboua, en Nubie, deux grandes silhouettes de Ramsès demeurent en place et continuent toujours à présenter des fleurs à saint Pierre, le nouvel occupant !

Après le deuxième siècle, le monachisme prit définitivement racine en Égypte. Ce mouvement fut illustré par de nombreux convertis, tel saint Onnophrius qui avait adopté comme nom l'épithète jadis donnée à Osiris : *ounen nefer*, « le

Grand temple d'Isis
Le culte d'Isis, à la Basse Époque, finit par dominer toutes les autres formes de culte. Le premier grand temple, dédié à l'épouse du défunt Osiris, se trouve à Philae, à l'entrée du Nil en Égypte.
Philae
Époque gréco-romaine

Temple de Ouadi-es-Seboua
Vue du deuxième pylône.
La grande et haute porte
de l'époque pharaonique a été
considérablement réduite
à l'époque chrétienne par
une double entrée en « anse
de panier ».
Construction d'origine :
Ramsès II (XIXᵉ dynastie)
Moyenne Nubie

Saint Pierre
La grande niche du temple
de Ouadi es-Seboua, contenant
des statues (Amon et Ramsès ?),
a été remaniée à l'époque
chrétienne, recouverte de plâtre
et ornée de l'image de saint
Pierre... qui reçoit l'hommage
éternel de Ramsès II !
XIXᵉ dynastie et époque
chrétienne

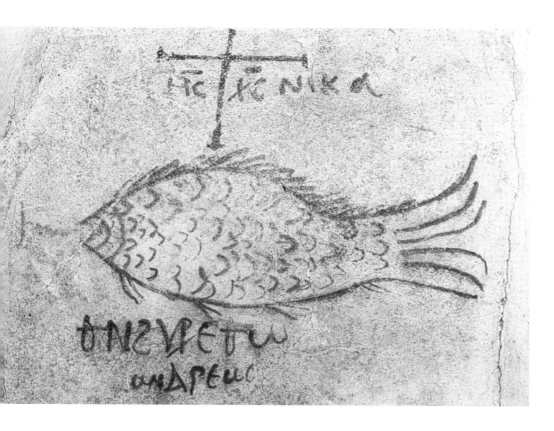

perpétuellement rajeuni » ; il était originaire de Koma, en Moyenne Égypte.

Saint Antoine naquit vers 251. Cependant, le plus célèbre de tous ces moines fut saint Pacôme, né en Haute Égypte au début du IVᵉ siècle, près d'Esna. Son séjour dans l'armée romaine terminé, il fut démobilisé à Thèbes. Après s'être fait baptiser, il était devenu le disciple de l'ermite Pahermon (vers 330). Il fonda alors, près de la ville d'Akhmîm, une communauté, rédigea une règle pour la vie journalière où chaque détail était décrit, et créa aussi onze fondations où la règle cénobitique du monachisme communautaire était appliquée.

Le mouvement monastique est strictement d'origine égyptienne : cet héritage représente la plus grande contribution que l'Égypte copte ait faite à la chrétienté.

Le poisson du Christ
Au cours des siècles, le petit poisson inet, rappelons-le, a été naturellement transformé en symbole du Christ victorieux.
Graffito d'une cellule de moine
Kellia, nord-ouest du Delta
Musée du Louvre

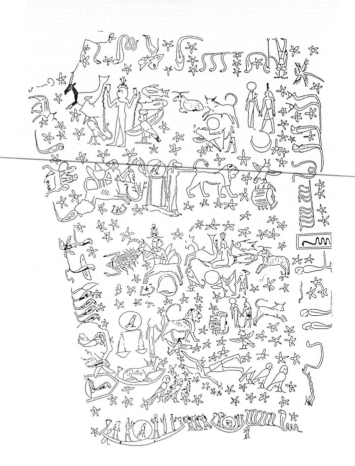

Signes du zodiaque
Les signes **imagés**
du zodiaque apparaissent
au plafond de caveaux
funéraires de l'époque
ptolémaïque, en léger
désordre.

Naissance du zodiaque illustré

Pendant plusieurs siècles après la christianisa-tion de l'Égypte, les papyrus illustrés propagèrent des images égyptiennes en Occident, la plupart du temps grâce aux voyageurs, retour de pèlerinages aux monastères fondés par saint Pacôme. Parmi toutes ces illustrations, nombreuses étaient aussi celles ornées de la copie des signes du zodiaque.

À l'origine et surtout dès le Nouvel Empire, il était question de faire figurer, aux plafonds des temples ou des caveaux funéraires, le calendrier solaire. Ensuite, à la Basse Époque, les prêtres en firent la principale ornementation des cou-vercles des sarcophages momiformes.

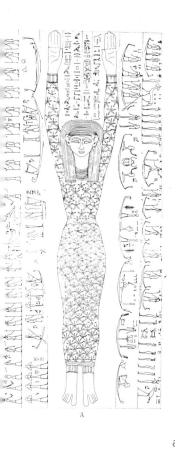

A

a   b

a- Nout, la voûte céleste
Sous les couvercles
de sarcophages momiformes,
l'image de la voûte céleste
peut être évoquée par Nout,
faite femme, au corps
recouvert d'étoiles (toujours
à cinq branches).
Sarcophage de Pa-di-haké
Époque ptolémaïque
Musée du Louvre

**b- Nout entourée
du zodiaque**
Une variante, légèrement
plus tardive, porte, en décor
sous le couvercle, l'image
de Nout, les bras levés
et le corps entouré des
douze signes du zodiaque,
en deux bandes
de six vignettes.
Sarcophage de Soter British
Museum
Époque gréco-romaine

Aussi, pour tenter de traduire les cercles et les chiffres des calendriers par des images parlantes, ils décidèrent, à l'époque gréco-romaine, d'aider les défunts sur les chemins de l'au-delà en faisant appel au vieux fonds symbolique des temps sacrés lointains, plutôt que d'évoquer, par leurs noms respectifs, les douze mois de l'année solaire.

Pour cette raison, à l'intérieur du couvercle des sarcophages momiformes, **Nout** la voûte céleste figurée par l'image d'une femme, jambes et bras étendus, devait dominer la momie déposée dans la cuve. De chaque côté du corps (évoquant l'écliptique), et à partir du niveau de la poitrine, les douze signes, symboles des douze mois de l'année, étaient répartis en deux séries de six signes, de chaque côté, ayant respective-

ment leur signification dans l'ordre astrono-
mique, rappelant de la façon la plus évidente la
caractéristique de chaque mois.

Reprenant la distribution des mois suivant
l'antique et logique calendrier de leurs pères, les
Égyptiens adoptèrent la disposition qui plaçait le
Jour de l'An au moment de la nouvelle apparition de l'étoile Sothis à l'horizon oriental. Cet
instant coïncidait, on le sait, avec le lever immi-
nent du soleil et le retour presque immédiat de
l'inondation (vers notre 18 juillet).

Au-dessus de la tête de Nout, des symboles
solaires soulignaient encore la zone de la chaleur. Également, à la hauteur de la poitrine de
Nout, figuraient les signes illustrant les mois les
plus chauds de l'année. En revanche, à la partie
inférieure du corps de la déesse du ciel, de
chaque côté et deux par deux, les signes encadrant les pieds indiquaient les mois les plus
froids de l'année.

Les signes et leurs symboles

Prenons un des exemples les mieux préser-
vés, peint à l'intérieur du sarcophage de **Soter**,
conservé au British Museum, à Londres. En bas,
à gauche des pieds, figurent les symboles des
deux derniers mois de la saison hiver-printemps :
la saison *peret* : on y reconnaît les signes du Verseau et des Poissons. Ensuite sont représentés les
quatre signes correspondant aux quatre mois de
la saison d'été : *chemou*, ce qui complète la moitié de l'année et comprend donc les signes du
Bélier, du Taureau, des Gémeaux et du Cancer.

Alors est-on arrivé à l'époque la plus chaude de l'année (fin juillet), époque où le démiurge a créé un espace vide, réservé aux cinq jours épagomènes, les « supplémentaires » (*héryou*) qui permirent la naissance de la famille osirienne.

Puis, la ronde des mois continue, illustrée par le Lion, la Vierge, la Balance et le Scorpion. Ces quatre mois constituent la saison *akhet*, celle de l'Inondation.

Enfin, nous trouvons les deux premiers mois de l'hiver-printemps, la saison *peret*, les mois les plus froids de l'année, symbolisés par le Sagittaire et le Capricorne.

Il demeure, maintenant, à saisir la relation existant entre chacun des mois et l'illustration qui en est donnée en accord avec la symbolique égyptienne. En résumé, la succession des signes rappelle les avatars du dieu agraire Osiris, éternellement vainqueur de la mort.

Le Verseau

La crue se prépare ; les deux sources mythiques du Nil (à l'origine peut-être celle du Nil blanc et celle de l'Atbara éthiopien) vont se manifester.

Les Poissons sont une allusion à la survie souhaitée. Le défunt doit repêcher, dans les eaux primordiales, les deux poissons évoquant « l'âme d'hier et celle de demain ».

Le Bélier, ou plutôt le « bouc de Mendès ». C'est dans cette localité orientale du Delta mythique, que la momie osirienne commence à se transformer en futur soleil.

Le Taureau, à comprendre : le petit taureau, fils de la vache Hathor. La bonne déesse universelle porte bien en son sein le fœtus du soleil.

Les Gémeaux

Ces deux « enfants du démiurge », Shou et Tefnout, sont présentés au nez de celui qui espère recevoir le **souffle de vie**. Les branchies du fœtus-poisson se transforment alors en poumons solaires à l'instant de la naissance.

Le Cancer est, au vrai, un scarabée. Au soleil levant, ce bousier pousse sa boule d'excréments qui contient ses œufs. Leur éclosion symbolise la naissance de l'astre qui illumine le monde.

Nous nous trouvons ici au milieu de l'année, à la période la plus chaude. Entre le Cancer (scarabée) d'un côté de la déesse, et le Lion de l'autre côté, l'étoile de Sothis a réapparu, le soleil s'est levé, l'Inondation est annoncée.

Le soleil remis au monde par la sainte étoile, c'est la splendeur d'Osiris revenant à la vie.

Le Lion, c'est la pleine canicule, du nom de la petite chienne, _canicula_, donné à l'étoile de Sothis, laquelle, depuis la préhistoire, est figurée par une petite chienne. Sothis est l'étoile la plus brillante de la constellation du Chien. Parmi tous les symboles attribués au Lion, on trouve plusieurs mythes, dont celui de la « Déesse Lointaine » qui revient du sud sous une forme léonine au moment de l'inondation.

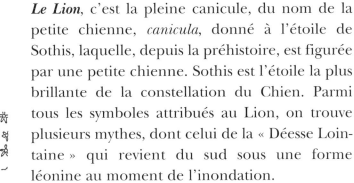

La Déesse Isis (signe de la Vierge)

La déesse Isis tient un épi de blé, évoquant la mise à mort du dieu agraire Osiris, le blé, victime du « Malin », Seth. Isis veillera sur le corps momifié de son époux.

La Balance

Toujours dans le rituel osirien, le dieu mis à mort deviendra le juge des défunts et présidera à leur jugement.

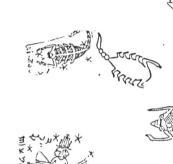

Le Scorpion

Isis emprunte parfois l'aspect du scorpion protecteur. Une très ancienne légende fait allusion à la sauvegarde du futur héritier, Horus, selon laquelle Isis, pendant sa grossesse, a placé sept scorpions en protection autour de lui.

Le Sagittaire

A l'origine de ce signe est le roi, détruisant le démon symbolisé par un animal nuisible. Tardivement, le signe montre le roi conduisant son char, ou monté sur son cheval, prototype de saint Georges.

Le Capricorne

Petit capridé en transformation, déjà plein de vitalité pendant la gestation dans le sein de sa mère. C'est l'image de la graine déposée dans l'humus et qui commence à germer.

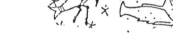

La répartition des signes zodiacaux
Il faut lire les signes de bas en haut et de gauche à droite (cf. chapitre I, « le Calendrier ») dans l'ordre : Verseau, Poissons, Bélier, Taureau, Gémeaux, Cancer (= le scarabée), Lion, Vierge, Balance, Scorpion, Sagittaire, Capricorne.
Choix de signes zodiacaux provenant de caveaux et de sarcophages – Époque ptolémaïque

Le zodiaque de Vézelay

L'ordre dans lequel les signes du zodiaque ont été distribués, indique clairement où les Égyptiens voulaient placer leur Jour de l'An, c'est-à-dire à l'arrivée de l'Inondation, entre les signes du Cancer (scarabée) et celui du Lion, à la canicule. En revanche, le début et la fin du cycle étaient placés dans la zone la plus froide, près des pieds de la déesse (Verseau et Capricorne).

L'image de ce calendrier reproduit sur papyrus, ainsi que je l'ai rappelé, devait circuler, grâce aux pèlerins, à travers toute l'Europe, après avoir traversé la Méditerranée. Maintes fois il dut aboutir auprès des moines coptes des îles de Lérins, dans ces lieux mêmes où fut élevé, par des moines coptes, le futur saint Patrick d'Irlande.

La basilique de Vézelay
La façade du narthex est ornée du plus bel ensemble de signes du zodiaque qui soit.
Basilique Sainte Madeleine
XIIᵉ siècle – Vézelay

Ces manuscrits circulèrent certainement aussi vers la bibliothèque de l'abbaye de Cluny, avant d'arriver dans d'autres lieux du savoir.

Une copie dut aboutir dans les mains des architectes chargés d'édifier et d'orner la basilique Sainte-Madeleine de Vézelay.

J'invite donc mes lecteurs, après avoir pris connaissance de ces dernières lignes, à se rendre vers ce magnifique, cet émouvant monument, et à pénétrer dans le narthex. En levant les yeux, ils retrouveront la fascinante représentation du Christ en Majesté, entouré, sur le dernier demi-cercle de son « cadre » extérieur, des motifs correspondant aux signes du zodiaque égyptien et, miracle! apparaissant **suivant l'ordre où ils apparaissaient en Égypte**.

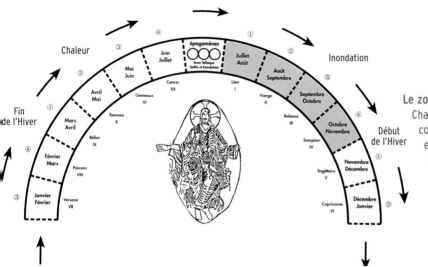

Le zodiaque de Vézelay
Chaque signe du zodiaque, contenu dans un cercle, est accompagné du symbole agraire auquel il correspond, également compris dans un cercle-cadre analogue.

Le zodiaque de Vézelay
Au sommet du zodiaque,
exactement dans l'axe
de la tête du Christ qu'ils
dominent, sont directement
figurés, en haut relief,
trois signes mystérieux,
étrangers au zodiaque
classique demeurés
inexpliqués.
Basilique Sainte-Madeleine
XIIe siècle
Vézelay

Ainsi, en bas, à l'extrême gauche, le premier signe, celui du Verseau, correspond à l'opposé à droite à celui du Capricorne. De surcroît, chaque signe, présenté dans un cercle, est doublé par l'image symbolique agraire - mais très européenne -, du mois qu'il évoque.

Phénomène imprévu, j'oserais même le qualifier de fantastique : au centre de ce demi-cercle extérieur, trois signes supplémentaires sont situés dans l'axe de la tête du Christ, qu'ils dominent, d'allure égyptienne mais qui ne figurent pas dans les zodiaques d'Égypte. Ils sont intercalés entre le Cancer et le Lion, sans cadres agraires explicatifs complémentaires.

Le premier de ces signes représente un chien, les membres ramassés sous son corps. Vient ensuite un corps momiforme, replié sur lui-même et, enfin, une femme-poisson.

J'ai pu, il y a quelques années, interpréter ces représentations, non comprises alors, mais qui me paraissaient pouvoir être accessibles à l'égyptologue.

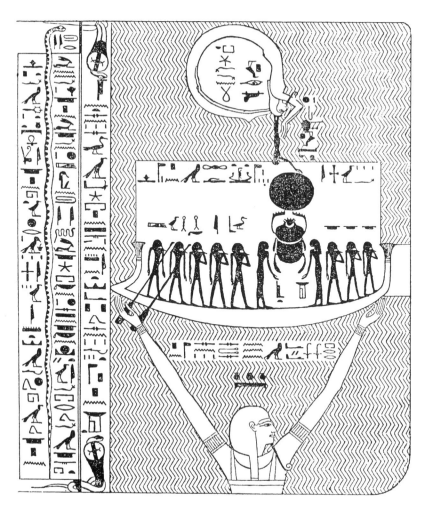

Il s'agit d'abord de la petite chienne de Sothis qui annonce la nouvelle année. Puis, c'est la momie d'Osiris renaissant, comme on peut le voir figuré au plafond de certaines tombes de la Vallée des Rois, dans cette étrange attitude de chrysalide, le corps lové, les pieds touchant la tête, apparaissant à l'issue de la dernière heure de la nuit. Pour en finir avec ce trio, nous nous trouvons alors devant une des plus anciennes versions de la Sirène, illustrant l'arrivée de l'inondation.

Par qui, à Vézelay, loin des savants scribes des temps révolus, ces trois images inattendues et

Destin d'Osiris
« chrysalide »
Au plafond de plusieurs caveaux de la Vallée des Rois, est encore représenté le symbole de la « dernière heure de la nuit ». On peut contempler le génie de l'abîme primordial, faisant surgir la barque contenant le scarabée qui pousse le soleil renaissant et dans lequel la chrysalide d'Osiris (au sommet) sera intégrée par l'action d'Isis (petite image entre le soleil et le corps lové d'Osiris). Tombe de Ramsès VI XXᵉ dynastie – Thèbes-Ouest

Harpocrate
Statuette représentant
l'enfant royal, tel Harpocrate
naissant du lotus.
Bronze – Époque saïte
Musée du Louvre

**Zodiaque de la cathédrale
d'Autun**
Trois signes mystérieux,
placés au-dessus de la tête
du Christ, à Vézelay,
partagent en deux groupes
égaux les signes du
zodiaque ; un seul signe
peut remplacer les trois
figurations évoquées
à Vézelay : l'arrivée
de l'Inondation, donc le Jour
de l'An. Ainsi, sur le zodiaque
de la cathédrale d'Autun
figure-t-il seulement une
image, celle, déformée,
les jambes assez écartées,
du petit Harpocrate, l'enfant
solaire, le soleil levant
renouvelé au Jour de l'An.
Cathédrale Saint-Lazare
XIIᵉ-XVᵉ siècles – Autun

hautement symboliques ont-elles pu être ajoutées au cycle tardif des signes du zodiaque, lesquels, à la Basse Époque égyptienne, illustraient fidèlement et sans autres commentaires les douze mois du calendrier pharaonique ? Est-ce un moine pèlerin, venu d'un des monastères jadis fondés par saint Pacôme ? Ou bien sont-ce les architectes-savants, bâtisseurs de la basilique Sainte-Madeleine ?

Quoi qu'il en soit, en Europe, bien après l'ère pharaonique, le fabuleux héritage de l'Égypte devait encore nous éclairer sur le message du Christ auquel la vieille Égypte ne semble pas avoir été étrangère.

Le christianisme primitif pourrait donc ne pas être tiré d'un tissu judéo-chrétien, ainsi qu'on le répète sans cesse, ni pagano-chrétien, comme saint Paul avait tenté de le soutenir, mais, loin d'être le fruit d'un improbable hasard, serait issu d'une rencontre égypto-chrétienne.

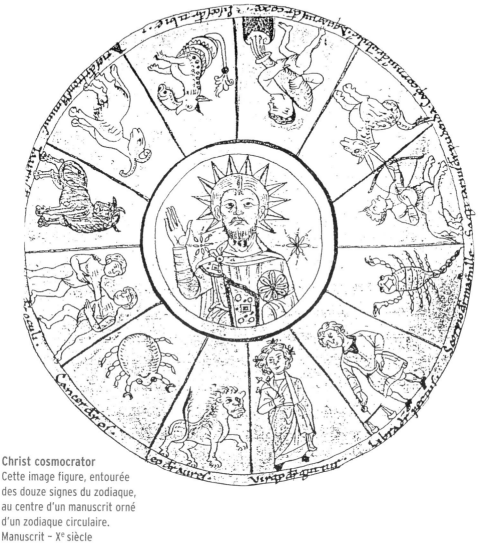

Christ cosmocrator
Cette image figure, entourée
des douze signes du zodiaque,
au centre d'un manuscrit orné
d'un zodiaque circulaire.
Manuscrit – Xe siècle
Bibliothèque Nationale, Paris

Achevé d'imprimer sur les presses de Zanardi Editoriale
Photogravure : IGS Angoulême

Les éléments composant l'iconographie de cet ouvrage sont issus
de la collection personnelle de Christiane Desroches Noblecourt

Conception graphique Florence Le Maux
pour les Éditions SW-Télémaque
7, rue Pérignon 75015 Paris
infos@editionstelemaque.com
Dépôt légal : Novembre 2004.

Égyptologue de notoriété internationale,
Christiane Desroches Noblecourt a été la première femme membre de l'Institut Français d'Archéologie Orientale du Caire.
À partir de 1938, elle passe trois ans sur les chantiers de fouilles en Haute Égypte puis reprend ses activités au musée du Louvre où se déroulera toute sa carrière.
Elle consacrera parallèlement vingt ans de sa vie, en collaboration avec l'UNESCO, pour la sauvegarde des temples menacés d'engloutissement par la construction du barrage d'Assouan.
Elle entreprendra des recherches au Ramesseum et enfin organisera et dirigera, après sa retraite, la rénovation de la Vallée des Reines.
Elle sera responsable, entre autre, de deux expositions exceptionnelles sur Toutânkhamon et Ramsès II.
Médaillée de la Résistance, elle est aujourd'hui Conservateur général honoraire du Département des Antiquités Égyptiennes du musée du Louvre et Grand Officier de l'Ordre de la Légion d'honneur.